# ABÉCÉDAIRE
# D'UN JEUNE PÈRE

# ABÉCÉDAIRE
# D'UN JEUNE PÈRE

GAVIN'S CLEMENTE RUIZ

ILLUSTRATIONS DE MARIE COLIN

CHÊNE

# AVANT-PROPOS

Un, deux, trois, quatre... Les mois défilent à une vitesse ! À peine le temps de réaliser, que ça y est : bébé est là. Et avec Junior, c'est tout un monde à (re)découvrir. Et son lot de mots aussi étranges qu'inconnus. « Mouche-bébé », « haptonomie » ou « lit-parapluie »... Pas de panique ! De A comme « abdominaux » à Z, le jeune papa que je suis s'est donc amusé à consigner les phrases, mots, invectives ou petits plaisirs, avant et après l'arrivée de bébé. Parfait pour s'y retrouver en attendant sagement sur le canapé entre deux émissions télé. Ou pour se rappeler tout simplement les bons comme les moins bons souvenirs de sa propre découverte du « monde enchanté des bébés ». Place à l'action (changer une couche d'une seule main, un téléphone portable dans l'autre), à l'aventure (remonter les packs d'eau minérale naturelle pour les biberons), au suspense (trouvera-t-on le doudou dans la nuit noire au fond du lit ?), aux bons sentiments (les regards des mamans chez le pédiatre ou au supermarché avec Junior dans le caddy) et aux larmes (après deux mois sans dormir plus de trois heures entre deux tétées ou... à l'accouchement). Une belle aventure à partager !

Gavin's Clemente Ruiz

# SOMMAIRE

# ABDOMINAUX

Le jeune papa découvre son corps étrangement atrophié après la naissance de son enfant. Déjà, la couvade lui avait permis de gagner quelques tailles de pantalon, mais pas dans le bon sens. Où se cachent donc les tablettes de chocolat sculptées à coups d'heures d'intense musculation dans une autre vie ? Pfffuit. Évanouies, enfouies sous des tonnes de pâte à tartiner au chocolat et les cakes préparés avec amour par la future maman pendant son congé maternité. Alors, il cherche à retrouver la forme, et comme le temps lui est compté, tous les moyens sont bons. Plutôt que de prendre de l'eau du robinet pour préparer les biberons, il préfère les bouteilles d'eau minérale qu'il rapporte à bout de bras à la maison, en opérant une légère traction. Une, deux, une, deux… Si on calcule le nombre de biberons pris par son enfant durant les premiers mois, il peut comptabiliser le nombre de packs de six soulevés jusqu'à la maison. Il rêve parfois que ce soit un pack de bières bien fraîches, mais aussitôt, la raison le rattrape et il passe à autre chose. L'alcool, pour un jeune père, franchement…

# ABSENCE

Un beau matin, la mère du jeune papa, voire sa belle-mère (les grands-mères, quoi !), lui propose gentiment de garder son crapoussin. De le laisser dormir chez elle. De le garder toute la journée. Regard en coin du jeune papa vers la jeune maman. « Hein ? Quoi ? Dites-moi que je rêve ! » C'est vrai que c'est sympa de la part de la grand-mère. Pas besoin d'aller chez la nourrice. De faire le bain. De faire le biberon. De chanter quinze comptines avant le coucher. C'est vrai que c'est vraiment-super-méga-top sympa. Le jeune père est ici pris en flagrant délit de paternité en berne. Mais un peu de temps avec son amoureuse, ça ne se refuse pas non plus. Ils l'ont dit dans les différents livres : il faut savoir se consacrer quelques petits moments à soi, dans le couple, surtout après la naissance. Allez bon, c'est OK, adjugé, vendu ! Le jeune papa fait alors mille et une recommandations : « Pour le biberon, c'est position 2, mais tu peux revenir à la 1 si tu vois que ça va trop vite. Pour les fesses, tu mets du Mitosyl. Que si elles sont

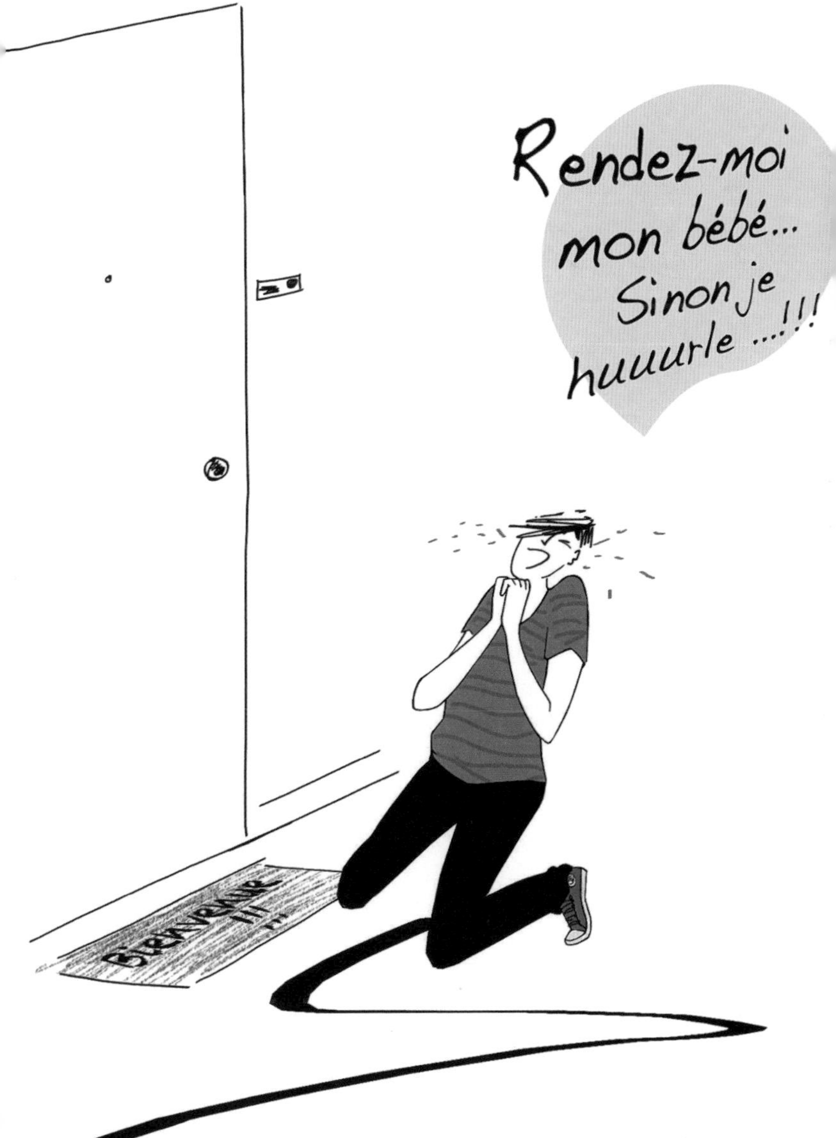
Rendez-moi mon bébé... Sinon je huuurle ...!!!
BIENVENUE !!!

rouges, hein ? Le pyjama, les bras d'abord et les jambes après. » Là, habituellement, la mère ou la belle-mère (ça marche aussi) lui répond : « Mais tu sais, je t'ai eu ! C'est comme le vélo, ça s'oublie pas ! » Et le jeune papa de ravaler sa salive. Bon, c'est nickel, petit cinoche, resto sympa qu'il a repéré depuis un an au moins, et après, petit câlin à la maison. Au cinoche, le film est glauque. Au resto, le jeune père bâille (la jeune mère n'est pas mieux). À cette heure-là, normalement, ils sont couchés tous les deux avec leur vieux pyjama troué, leurs chaussettes et leurs plaids sur les jambes. Pour éviter de s'endormir, ils n'arrêtent pas d'envoyer des SMS pour savoir si le petit a bien fait son rot. À quelle heure il s'est couché ? Le nez, c'est fait ? Bref, le rôti de veau à l'orange et sa petite sauce au gingembre ne leur laissent pas un souvenir impérissable. Retour à la maison. C'est vide. C'est horriblement vide. Il manque quelqu'un. C'est terrible. La jeune maman ne dit rien, mais n'en pense pas moins. Le jeune père erre dans la chambre du loupiot comme après un désastre. La gigoteuse du petit est au fond de son lit, entrouverte. La tétine, bien présente, juste à côté. Quelle horreur ! Le jeune père n'a qu'une envie : filer chez sa mère ou sa belle-mère (ça re-marche encore). Mais là, il est minuit cinq, c'est plus possible. Il réveillerait tout le monde. Alors il se couche, avec sa femme, en chien de fusil. Il écoute tous les petits bruits. Rien. Pas un raclement, un « bbbbblllllppppsss », un « sssssiiizzzzzz », un « dadadadadadada », un « rrrrRRRRRRrrrr ». Rien. Et là, il éprouve le manque. Il ne dort pas. Sa femme non plus. Alors ils reprennent leur grille de mots croisés.

wwwwww

## CONSEIL D'AMI

À l'adolescence et lors des premières nuits
où votre ado découchera, ce sera pire.
Autant s'habituer le plus tôt possible !

# ACCOUCHEMENT

La question pour le jeune père n'est pas de savoir s'il faut assister à l'accouchement, mais plutôt comment faire semblant de ne rien voir tout en ayant fortement l'envie de voir ce diablotin pointer le bout de son nez. Certains pères arrivent en retard, d'autres sont retenus en réunion ou... dans le couloir. Un futur père peut pourtant éprouver tellement de joie à sentir les ongles de son amoureuse se planter dans le creux de sa main, sans même pouvoir émettre ne serait-ce qu'une once de reproche au risque de se recevoir une grande gifle... Les jeunes pères, en salle d'accouchement, peuvent pourtant s'occuper de mille et une façons, si l'on en croit le top 5 des activités homologuées par la HAMSCA (Haute Autorité des Mamans Sous le Coup d'Accoucher) : éponger le front de sa femme, l'asperger au brumisateur, fermer les yeux, ne pas moufter ou... sortir. Retour à la case départ ! Pour se rassurer, il suffit aussi d'imaginer toutes sortes d'accouchements auxquels le jeune papa a échappé, comme celui par le chant, véritable sacrifice sur l'autel de la musique. Celui

# «Il faut s'attendre aux pires réactions...»

dans une baignoire peut aussi très fortement inciter un jeune père à ne plus se laver pour l'éternité. Enfin, la HAMSCA pense même user de son droit de veto contre toute présence de caméra. La téléréalité a ses limites ! Le futur jeune père n'a alors plus qu'à attendre. Une heure, deux heures, trois jours… S'agit d'être prêt. De ne pas flancher. De penser à tous les moments où il aurait dû s'entraîner à courir pour garder le rythme en ce fameux jour J. Promis, juré, après l'accouchement, il se remet au sport. Il ne cesse de se répéter, comme pour se convaincre lui-même : « Je serai fort. Je serai fort. Je serai fort. » (La méthode Coué est une solution comme une autre.) Le diablotin est arrivé. Le jeune papa résiste : il est fort. Il est très fort. Il est très très fort. Et il compte sur ses doigts : ça y est, ils sont trois (quatre, cinq, six, etc., entourer la bonne solution). Bah voilà, c'était donc ça !

wwwwww

## CONSEIL D'AMI

Pour éviter le ridicule, entraînez-vous à couper le cordon ombilical à la maison. Pour cela, prenez des élastiques en caoutchouc bien épais, et crac ! Le tour est joué. Les fétichistes gardent parfois la paire de ciseaux après usage.

# AMIS

À la naissance de son enfant, le jeune père voit vite la différence côté amis. C'est bien simple : les virées entre copains, c'est fini. Mais le jeune papa découvre alors d'autres joies entre amis : les visites faites au Divin Enfant. Tels les Rois mages venant célébrer le petit Jésus, il peut alors dresser une nouvelle typologie de ses amis.

Déjà, il y a l'éternel célibataire, à qui il fera peur en évoquant brièvement l'existence de son marmot. Monsieur « Un enfant, moi, jamais ! » viendra, certes, mais pour s'incliner sur le couffin et adresser toutes ses condoléances à son vieux pote. « T'étais super, j'ai adoré te connaître » seront sans doute les derniers mots qu'il adressera à son ami.

Il y a aussi les amis qui sont déjà pères de famille nombreuse. Ils évoqueront, au téléphone, des trémolos dans la voix : « Alors, ça y est, t'es papa ? Bon courage, vieux ! » Ceux-là, il ne les reverra pas de sitôt non plus. « On peut pas venir ce soir, pas de baby-sitter, la petite vient d'avoir sa troisième otite en dix jours, son frère fait ses dents, et en plus la nounou nous a lâchés. Je te raconte pas le plan ! » Réconfortant.

Il y a aussi les amis fidèles, les invétérés qui braveront ciel et terre pour rendre visite à la Petite Merveille. Une autre espèce. « On peut venir quand pour voir ton Trésor ? C'est quand vous voulez, hein ! Te gêne pas avec nous. On amène le goûter, vous inquiétez pas, on s'occupe de tout. Et le champagne aussi, faut fêter ça. » Des purs, des durs.

Il y a aussi ceux que le jeune père pourra renvoyer chez eux, en leur avouant clairement qu'il n'en peut plus, que la maman et lui sont épuisés, sans même les vexer (de très très bons amis…).

Sans oublier les amis de parents, qu'il n'a pas vus depuis sa communion (au moins) et les voisins : « Oh ! on a entendu du bruit, on s'est dit que ça y était, que le petit était peut-être arrivé, on fait que passer, hein, quand je pense que nous, on voit jamais nos petits-enfants, si vous avez besoin, on est là, hein ? » Des amis, comme on dit…

## CONSEIL D'AMI

Vous pouvez décrocher le téléphone, ne pas répondre à la sonnette de l'interphone, ne pas ouvrir les volets et jouer les ermites. Ça fait tellement de bien aussi.

# AVENIR

Au-dessus du berceau, le jeune papa commence à fantasmer. Il imagine la vie future de ce petit être. Le jeune père se rêve déjà à ses côtés pour l'accompagner sur les grands chemins de la vie. Junior sera diplômé, peut-être, sans doute. Qui sait ? Peut-être qu'il deviendra aussi président de la République ? Ou bien qu'il fera un métier artistique ? Acteur à Hollywood. Ça, c'est la classe ! « Il fera ce qu'il veut », marmonne souvent la jeune maman dans ces cas-là, quand le jeune papa rêve à haute voix. Oui, oui, Junior fera ce qu'il veut, mais les parents rêvent tous d'un job de rêve pour leur progéniture. « Il faut que cela lui plaise avant tout. » Certes, mais il faut aussi qu'il gagne suffisamment d'argent pour assurer ses arrières. Avec son enfant, le jeune papa se prend à rêver. « Oh ! Hé ! Du calme ! surenchérit la maman. Je déteste les parents qui fondent tous leurs espoirs perdus dans l'avenir de leurs propres enfants. » Là, le jeune papa opine du chef, entièrement d'accord avec sa dulcinée. Oui, mais, bon, quand même, s'il a beau entendre qu'il faut laisser les enfants faire, il rêve de lui montrer le chemin d'écoles prestigieuses, de lui faire lire les grands classiques, de l'emmener

Tu feras ce que tu voudras...

Enfin... tant que je serai d'accord...

au théâtre dès sa plus tendre enfance, dans les plus grands musées du monde, de rester des heures au Louvre devant Poussin, la Joconde, Rubens, les antiquités orientales, que sais-je encore. De lui montrer la beauté des choses. De lui donner le goût et la sensibilité. Qu'il développera ou non, comme bon lui semblera. Mais le jeune papa se dit, dans son for intérieur, qu'il lui aura transmis les outils nécessaires qu'il gardera, en lui, toute sa vie. « Bah, Junior, qu'est-ce que tu regardes comme ça ? » Le jeune papa se demande alors pourquoi son enfant est en arrêt, comme hypnotisé, en transe, totalement émerveillé et subjugué devant… la machine à laver.

‿‿‿‿‿‿‿

## CONSEIL D'AMI

Ça marche aussi avec les motocrottes,
camions de poubelles, camions de pompiers,
ambulances et voitures de police.

# BABY BLUES

Pourquoi seule la jeune maman pourrait faire un baby blues ? C'est vrai, après tout ! Le jeune papa ne peut-il pas, lui aussi, avoir un petit coup de mou après l'arrivée de la petite merveille ? En se regardant dans le miroir, c'est plus des cernes qu'il voit, mais des ballons de baudruche, logés sous ses orbites blanchâtres. Le jeune papa en vient même à piquer l'anticerne de sa femme avant d'aller bosser. Le soir, quand il rentre et qu'il veut aider, il se fait enguirlander : « Non ! C'est pas comme ça ! T'as pensé à racheter du lait ? » Résultat : il est é-pui-sé. Et le marmot qui s'excite, pleure, hurle, vocifère et éructe, souvent tout cela à la fois ! Pis, ça fait trois fois qu'il change la couche aujourd'hui. Comment diable un si petit être peut-il autant produire de déchets ? (Question existentielle qui peut surgir d'on ne sait où, n'importe quand.) Bref, le jeune papa peut, lui aussi, ressentir une certaine lassitude. Il en arrive presque au stade où aller travailler est une libération.

Un sas de décompression. Un gage plein d'espoir. Le matin, il a envie de serrer ses collègues dans ses bras. Il reprend tous les dossiers que personne ne veut, pas grave, cela lui changera les idées ! En résumé, le jeune papa, après la naissance, frôle souvent l'explosion, le *burn out* comme on dit désormais. S'il pouvait sauter dans le premier avion pour aller aux Bahamas, il le ferait sans hésiter, là, tout de suite, maintenant, en étant, sans scrupules, au passage, un peu égoïste vis-à-vis de sa chérie… Mais il ne sait plus trop où sont les limites. Il traîne des pieds pour rentrer à la maison, tourne la clé dans la serrure de la porte d'entrée sans grande motivation, et là, il retrouve son petit trésor, un sourire jusqu'aux oreilles. Juste à côté, la jeune maman, une bouteille de champagne à la main. « Un petit verre, ça te dit ? » On efface tout, on recommence, tout va déjà beaucoup mieux.

<hr />

## CONSEIL D'AMI

Toujours avoir une bouteille de champagne au frais après la naissance. Pour les amis qui débarquent à l'improviste. Ou les envies subites !

# BABY SHOWER

Sa femme fait sa baby shower avec ses copines, cette fête américaine qui célèbre la fin de la grossesse et l'arrivée de bébé, pendant laquelle les filles se goinfrent de gâteaux et de cupcakes colorés à n'en plus finir ? Y a pas de raison ! Le jeune papa veut organiser la sienne, soit... une grosse soirée entre mecs, avec packs de bière et chips goût barbecue. « Baby shower ou pas, ça change pas des soirées foot ! » pourra commenter la future maman.

Là, le jeune papa montrera qu'il est prêt à devenir (un peu) responsable. Les potes apportent des paquets de couches en guise de cadeau, de quoi être fourni pour les six premiers mois de bébé (et réaliser au passage une substantielle économie). Le jeune papa varie les plaisirs et organise des gages intelligents pour pimenter l'ambiance : changer un bébé le plus vite possible en chargeant les couches de divers ingrédients. Ou, variante, en prenant un... faux bébé ! L'autre jeu, bien amusant, consiste à désigner deux équipes de potes. Chacune doit construire le plus vite possible un lit, une table à langer, une armoire... Un moyen bien pratique de monter les meubles de bébé sans se fatiguer (résultat final non garanti)...

# BABY-SITTER

Tout au plaisir de songer aux prochaines soirées qu'il pourra à nouveau partager avec sa bien-aimée, le jeune père découvre le monde merveilleux des baby-sitters. Il surfe sur les sites Internet concernés, découpe les numéros de téléphone minuscules des petites annonces chez le boulanger et envoie des SOS sur Facebook à ses potes. On ne sait jamais. Tout est bon pour trouver LA perle rare. De l'étudiante ERASMUS (« Je vous trouve très beau ») qui ne parle pas un mot de français (« Et comment tu lui expliques qu'il faut appeler les Urgences si y a un problème avec Junior ? ») à la mamie en mal d'amitié (« Mon fils ne vient plus me voir, je n'ai jamais vu mes petits-enfants, c'est pour ça que j'en garde »), le défilé des entretiens d'embauche peut vite tourner au cauchemar et donner envie aux jeunes parents de rester devant leur télé ! Sans oublier la petite voisine qui, au dernier moment, annonce qu'elle a une fête avec ses potes. « Mais on fait comment, alors ? Bah, annule tout. » Sans oublier la baby-sitter dévouée, que le papa booke pour quatre heures « grand maximum, hein ? ». Et qu'il rappelle toutes les heures pour reculer l'heure du départ. « Vous êtes sûre que ça ne vous dérange pas ?

– Non, non, pas du tout, monsieur vous inquiétez pas. »
Et quelques huit heures plus tard : « Combien ? 64 € ?
C'était pas 8 € de l'heure ? Bah oui, monsieur, mais 8 x
8, ça fait bien 64 €. » « Petite insolente, va », pense-
t-il alors tout bas, l'esprit un peu embrumé par le vin
rouge et les « Alexandrie, Alexandra » enchaînés
à-tout-va. Le jeune père découvre alors qu'il lui faut
ressortir tous les livres de recettes qu'il avait achetés
pour impressionner sa bien-aimée. Oui, parce que, à
partir de cet instant, il se dit clairement que, s'il veut
encore voir ses amis, sans trop se ruiner, il aura
plutôt intérêt à les inviter chez lui à dîner ! Alors aux
fourneaux !

wwwwww

## CONSEIL D'AMI

Vous êtes sûr que votre petit frère ou votre petite sœur ne
veulent pas se rapprocher de leur nièce préférée ? de leur
neveu adoré ? Ça marche aussi avec les grands-parents,
pour tisser des liens durables entre les générations. Tentez le
coup, on ne sait jamais.

# BAIN

Donner le bain à un nouveau-né devient une activité à part entière dans l'emploi du temps du jeune père. Un moment d'intimité entre lui et sa progéniture qu'il s'agit de privilégier. Toutes les puéricultrices le disent à la naissance. Les premiers gestes du jeune papa sont assez gauches. « Je tiens bien la tête ? Je vais pas lui faire mal ? Ouh là, mais c'est très flexible, ces petites choses-là ! » La jeune maman laisse faire. Allez, faut bien qu'il s'implique un peu. Elle s'éloigne tout doucement, jetant quand même un coup d'œil de temps à autre. Le papa se concentre, repense à tout ce qu'il a lu, vu et entendu. Petit fond d'eau dans une baignoire. Avec le coude, ou la main, contrôle de la température. Dans la pièce, il fait bon. Impeccable. Prêt pour l'Expérience du Bain. Ce sera SON petit moment à lui avec SON enfant. Sa femme, par la porte, lui rappelle qu'il ne faut pas laisser Junior tout seul dans l'eau. Il maugrée. Il ne va pas lui faire faire le dos crawlé non plus. Il se dépêche. Faudrait pas que Junior attrape une pneumonie en plus de cela.

Ça y est, body retiré, pyjama évacué. « Moussaillon, à nous deux ! » Ça va être génial. « Attention, mon chéri, n'oublie pas, faut pas trop laisser Junior dans l'eau avec le bain moussant, hein ? Ça peut lui refiler une infection urinaire ! » Le jeune papa ne rumine plus : il fulmine. Il « rulmine » même. Il cherche à se calmer. Respire par le nez. Junior ne dit rien. Il semble ravi que son père s'occupe de lui. Il a souri, même. Il a souri ! Le jeune papa se prend au jeu, découvre tous ces petits plis qui font son enfant. Il frotte. C'est magique. Et sa femme de surgir au-dessus de son épaule. « Eh bah, tu vois, tu t'en sors comme un chef ! Par contre, t'as oublié les affaires propres. Heureusement, je t'ai tout apporté. Tiens, vas-y, c'est bon, je prends la suite. Merci, mon chéri. » Elle lui passe devant, récupère le petit. Des mots doux passent par la tête du jeune père. « C'était MON petit moment ! » crie alors le papa éconduit. Junior se met à pleurer. « Oh, c'est bon chéri, arrête, c'est pas grave, regarde, tu fais pleurer Junior. » Injustice.

〰〰〰〰〰

## CONSEIL D'AMI

La nuit, bizarrement, la jeune maman n'a plus trop d'avis sur la question. Profitez-en : c'est le meilleur moment pour avoir VOTRE petit moment. Et de capter les grands sourires de Junior. Rien que pour vous…
Faut juste être patient et un peu insomniaque !
Mais tout vient à point…

# BOUTONS – PRESSION ARRIÈRE

Le jeune papa découvrira avec beaucoup d'émotion l'habillage des nourrissons. Rien à voir avec la manière adulte de s'habiller. Rien du tout ! Vu que le nouveau-né passe quand même la grande majorité de ses premiers jours vêtu d'un simple pyjama, ce vêtement pourtant commun mérite qu'on s'arrête quelques instants sur ses caractéristiques. Car il y a pyjama et pyjama. Le jeune papa distingue très vite les fabricants de pyjamas sympas et les fabricants de pyjamas qui n'ont tout simplement jamais dû enfiler une de leurs créations à un enfant. Les fabricants de la première catégorie sont des amours. Le pyjama se ferme d'une simple fermeture Éclair, sur le devant. D'un coup, hop, ça y est, c'est fermé, bébé est bien au chaud. Il y a aussi ceux qui ont opté pour les boutons-pression, toujours à l'avant, sur le ventre de l'enfant. Ceux-là sont encore remerciés, même si, bon, question confort, ça bâille un peu sur les côtés des jambes, l'air peut vite s'y engouffrer en plein hiver et bébé s'époumoner. Et il y a les pires, les odieux, les maléfiques, les diables sur pattes, les inventeurs du pyjama à boutons-pression... arrière ! Le jeune papa en vient à se demander si ces derniers ont, un jour, seulement, changé un enfant affamé, qui ne rêve que d'une chose, sentir un bon lait chaud couler au fond de son gosier. Ce même enfant n'en peut plus de ce jeune père qui le retourne comme une crêpe, pas même foutu de fixer ces trois pauvres boutons horizontaux, au-dessus de ses fesses. Boutons, qui, bien sûr, ne se ferment pas correctement. Mieux : en pleine nuit, quand Junior a quelques soucis de transit, et que ledit papa s'aventure à changer Junior souillé des pieds à la tête, et qu'il n'a plus qu'une envie, aller se recoucher, ces trois maudits boutons-pression arrière ne se ferment évidemment pas... Pourquoi diable a-t-on pu un jour autoriser la création de tels pyjamas pour les générations futures ? Le jeune papa rêve alors d'une Internationale des jeunes papas unis (l'IJPU pour les intimes) afin d'interdire cette catégorie de pyjamas. Tant de torture, ce n'est pas humain !

## CONSEIL D'AMI

Organisons un collectif, créons une page Facebook, que sais-je encore. En tout cas, chers papas, unissons-nous ! Et songeons au confort de nos bambins, et... au confort de nos nuits. Ou ré-offrez tous les pyjamas à boutons-pression arrière à vos pires ennemis ! Et vive l'IJPU !

# BRAD P.

Tous les jeunes pères ont rêvé de ressembler à Brad P. ou à un beau gosse du genre. Surtout à Brad P., avec sa kyrielle d'enfants (pas la peine de compter, ça devient indécent), qui s'étale sur toutes les pages de magazines people en train de porter la petite dernière sur ses épaules, de pousser une poussette double, avec deux autres loupiots sur les côtés, le tout en souriant ouvertement, genre « Je suis un papa poule et j'aime ça ». Le jeune papa, lui, à peine sorti du boulot, doit filer directement chez la nounou ou à la crèche, non sans avoir planté ses collègues de bureau en pleine réunion sur le budget prévisionnel de l'an prochain, primordial pour l'équilibre et le maintien de la boîte. « Il est 18 heures, désolé, je dois filer. » Le jeune père, qui avant ne quittait pas le bureau avant 21 heures, au plus tôt, se retrouve coincé dans les transports en commun, une aisselle anonyme au-dessus de la tête, un chien sur les pieds. Il est 18 h 15, il transpire. Il veut montrer à sa femme que lui aussi peut être un père modèle, exemplaire, un Brad P. en puissance. Il tâte alors sa bedaine. Ouh là.

C'est vrai que le régime pizza + sandwich + coca + café, ça n'est pas ce qu'on fait de mieux en matière de diététique. Son côté Brad P. a sérieusement morflé pendant et surtout après la grossesse... Il est 18 h 45. La porte de la crèche va fermer. Est fermée même. Il tambourine comme une bête. Il voit la directrice passer la tête. « Bonsoir, il est trop tard. Votre enfant est au poste de police le plus proche. – Vous plaisantez, j'espère ? » Là, normalement, Brad P. fait un grand sourire, la mèche blonde et les dents ultra-blanches font l'affaire. Le jeune père tente le coup. « Monsieur, les horaires sont les horaires. » Oui, c'est vrai, le jeune papa n'a pas trop le look d'un Brad P., avec son pull trop grand, mal fagoté, son manteau mal boutonné, tout rouge de sueur, à moitié à genoux devant la porte de la crèche. « Chéri, tu viens ? » Et tout à coup, le jeune papa se réveille. Il s'était endormi, épuisé, devant un film avec Brad P. Ouf.

wwwww

## CONSEIL D'AMI

Prenez vite un abonnement à Canal + pour voir tous
les films que vous n'aurez plus le temps de voir au cinéma.
Ou faites un stock de DVD ! Avec ou sans Brad P. ...

# CADEAU DE NAISSANCE

Ce n'est pas une règle, mais disons qu'il est fortement conseillé au jeune papa de faire un cadeau de naissance à sa chère et tendre juste après l'accouchement. De quoi se remettre en douceur d'un événement pour le moins violent. Cela permet de réaffirmer son attachement, même si, bon, le bout de chou entre le jeune papa et sa mère est un bon gage de stabilité ! Mais, quand même, quand même... Souvent, les mamans, après l'accouchement, se sentent moches, voire très moches. Le jeune papa choisit donc un petit soin en institut de beauté. Certaines parturientes peuvent mal le prendre. « Quoi ? Tu me trouves si moche que ça ? » Un des cadeaux les plus courants (et très consensuels aussi, mais bon) reste quand même le bijou. Pour un premier enfant, les fameux « trois ors » sont assez symboliques. Plusieurs marques de bijoux se sont engouffrées dans le créneau et toutes ou presque proposent leur fameuse « trilogie ». Ça marche avec les bagues, les pendentifs ou encore les boucles d'oreilles et les bracelets.

Là encore, le jeune papa a le choix. D'autres cadeaux très pratiques mais bien utiles font aussi l'affaire, comme des heures de baby-sitting ou des « bons pour... ». À la discrétion du jeune papa, et de son imagination débordante. « Bon pour un massage en tête-à-tête », « Bon pour un week-end en amoureux » (bien mettre une option sur les grands-parents avant !), mais aussi des « Bon pour des heures de ménage », « Bon pour des courses à domicile », etc. Autant de tâches de la vie quotidienne en moins, et de petits plaisirs en plus ! Les fleurs au retour de la maternité peuvent plaire, mais surtout un bon petit gueuleton préparé avec amour, où le jeune père choisit le bon fromage, le bon vin (avec modération, surtout si sa Belle allaite), le bon petit gâteau au chocolat, etc.

<hr />

## CONSEIL D'AMI

Bon, faut pas trop en faire non plus, sinon votre dulcinée s'y habituera ! Et ça deviendra louche, surtout si ce n'est pas dans vos habitudes. Un seul cadeau, mais le bon, suffira.

# CÂLIN

Le jeune père découvre, ému, que son enfant aime se nicher au creux de ses bras, dans la chaleur de son pull. Paraît que ça le rassure. On conseille d'ailleurs de laisser dans le lit de l'enfant le pull du père (ou de la mère), histoire de laisser l'odeur imprégner les draps. Une bonne idée, oui (le jeune père doit quand même prévoir plusieurs pulls). Il n'est pas rare que son enfant, débordant d'amour, juste au moment où le papa doit partir travailler, veuille lui faire un dernier câlin. Junior est bien installé, là, dans son transat, et regarde son cher père avec des yeux de biche. Craquant. Le jeune papa ne saurait résister. C'est bien indiqué dans tous les ouvrages : il ne faut pas refréner ces élans instantanés. Il veut être un père attentif. Bien sûr, il se penche au-dessus de son enfant. Il le prend bien contre lui. Les yeux de l'enfant se ferment à moitié. Il est aux anges, lové dans les bras de son papa. Quand, soudain, le grondement d'un geyser en action prêt à éructer se fait entendre. Non ! Pas ça ! Trop tard... L'action combinée consistant à passer de l'état couché + debout + lové dans les bras de papa a actionné l'appareil digestif encore fragile du bambin. Et déclenché le jet du biberon sur le joli pull paternel. Plof. Vlourps. D'où viennent cette force et cette impression d'un jet infini et interminable ? Faisant fi de ces réflexions philosophiques et mécaniques, le papa ne peut que constater les dégâts. Il est trempé. Il en a partout. Il doit se changer, et fissa. Son bus ne l'attendra pas ! Pis, le lait régurgité laisse comme une petite odeur tenace dans son sillage. S'il s'agit bien d'une odeur de vomi, il est bon de préciser qu'il s'agit, histoire d'être exact, d'une odeur de vomi… fermenté (voilà, c'est dit !), du genre à vous rester dans les narines toute la matinée. Horreur. Le jeune père, pressé, repose illico Junior dans son transat. Celui-ci hurle, naturellement. Le jeune père se change précipitamment, oubliant juste de nettoyer les taches blanches douteuses également présentes sur son pantalon. Le soir, en rentrant, il constate l'étendue des dégâts. Et repense à tous les petits sourires de ses collègues toute la journée durant. Les salauds !

〰〰〰〰

## CONSEIL D'AMI

Avoir une tenue de rechange au bureau,
kit complet : chemise, pantalon, pull,
veste de costume. On ne sait jamais.

# CHAMBRE

Le jeune papa peut montrer la gamme étendue de son savoir-faire en termes de bricolage au moment de la naissance de son futur enfant. Ou pas. Dans ce dernier cas, le jeune papa abat ses dernières cartes vis-à-vis de sa dulcinée. « Je déteste le bricolage. – Mais comment on va faire pour la chambre de Junior ? » La maman, inquiète pour sa progéniture, sent tout à coup son petit ventre dodu rebondir. « Ah ! Tu vois, Junior aussi s'inquiète ! » À moins d'appeler illico Valérie D. de « SOS Déco » en renfort, le jeune papa ne voit pas trop de solutions : va falloir qu'il s'y mette. Peindre, accrocher des rideaux, monter une cloison (c'est fréquent…), poser une moquette, poncer un parquet, le tout dans les règles de l'art, sans asphyxier la mère et le futur enfant. Là, passe encore. Il peut se faire violence. Mais reste la question de la couleur de la chambre, des meubles, etc. « On mettra mon lit-bébé ici. – Hein ? Comment ça "ton" lit-bébé ? Le vieux truc qui traîne dans le grenier de tes parents ? Mais ça va pas, la tête ? Sinon, qu'est-ce que tu penses d'un petit gris souris ? – C'est lugubre. Je veux du vert pomme. – Du vert pomme ! Mais tu veux ma mort, ma parole ?! » Petits extraits des conversations sur le seuil de la porte de ce qui sera le royaume du futur enfant. Incroyable. Et pourtant, dans neuf mois ou presque, un petit être déambulera dans cette pièce. « Bah, faut que tu t'y mettes, mon chéri, parce que c'est pas comme ça que ça va avancer. »

〰〰〰〰

## CONSEIL D'AMI

Même si les lés de papier peint ne sont pas totalement raccords ou si les traits de pinceau sont un peu voyants, pas de panique, Junior vous aimera quand même. Allez, c'est pas tout ça, mais faut vraiment y aller maintenant...

# CHARABIA

Dès les premiers jours de grossesse ou à l'arrivée de bébé, le futur papa peut très facilement être complètement à l'ouest. Paumé, largué, dans les choux. Il décide alors de prendre le taureau par les cornes et de griffonner des notes à tout bout de champ.

À la maternité. « N'ayez pas peur, les premiers jours, y aura du méconium à la place des selles. – Du quoi ? Ah ? Mais qu'est-ce que c'est que ça ? » Ni une, ni deux, il file sur Wikipédia entre deux tétées avec son smartphone et note tout de suite ce que cela veut dire dans son carnet, en faisant des grimaces. Non, le méconium n'a rien de réjouissant.

Dans le magasin de puériculture. « Bonjour, madame, je voudrais acheter une gigoteuse. – Très bien. Tenez, voilà tout ce qu'on a. Par contre, la naissance est prévue pour quand ? – En décembre. – Ah. Alors, je vous conseille un TOG élevé. – Un quoi ? s'exclame le futur papa. – Un TOG, l'unité de résistance thermique des gigoteuses, qui va de 0,5 pour l'été à 5 pour l'hiver. Eh ! Va falloir vous y mettre, mon bon monsieur ! »

Quelques mois plus tard, encore dans le magasin de puériculture, le jeune papa revient. Même vendeuse. Elle le reconnaît à son petit carnet. « Alors, on a pris des notes cette fois ? Qu'est-ce que je peux faire pour vous ? – Je voudrais un siège-auto, susurre-t-il. – Très bien. Un Groupe 0+/1, Groupe 1 ? Groupe 1/2/3 ou 2/3 ? » Le papa, tout penaud, relit ses notes. « Bah, je sais pas. C'est pour Junior. Je veux qu'il soit bien assis, c'est tout. – Ah bah oui, mais faut savoir exactement ce que vous voulez. Pour quel âge, pour quelle utilisation, tout ça, quoi ! » À croire qu'on profite quelque peu de la situation fragile du jeune père pour abuser de lui... Reste plus qu'à décoder tous ces mots bizarres.

~~~~~~~~~

## CONSEIL D'AMI

Si votre femme vous parle crevasse après son allaitement, elle n'a pas une envie subite de partir faire de l'escalade. Là, vous risquez de vous prendre un coussin d'allaitement en pleine tête ! Emmenez-la plutôt chez son médecin...
Et si Junior fait « ROR », il n'imite pas les animaux de la jungle, il doit juste être vacciné contre Rougeole Oreillons Rubéole. Alors gaffe, futur papa, prends garde à toi et surtout prends des notes...

# CHAT

Le jeune père avait un allié dans la maisonnée en la personne du chat. C'était son pote, il lui faisait des câlins en cachette (un homme ne montre pas ses faiblesses, c'est bien connu), il lui donnait des petits noms en secret, et parfois, il se recroquevillait autour de lui dans le lit, sans le dire à sa femme, qui déteste, oui, qui déteste vraiment que des bêtes viennent dans son lit. « Mais c'est des poils de chat, ça ! Oh non, chéri ! Pas encore le chat ! » Oui, mais voilà, avec l'arrivée de Junior, l'allié du jeune papa fait la gueule. Et une gueule de chat, c'est coriace. Rien à y faire. Déjà, on l'a recasé chez les beaux-parents le temps que la grossesse se termine. Heureusement, la future maman était immunisée contre la toxoplasmose. L'aurait plus manqué que ça, qu'on se sépare du GroMatou pour l'arrivée de Junior ! La cohabitation avec les futurs grands-parents n'a pas été des plus heureuses. GroMatou a fait la gueule durant tout le séjour. Quand son maître est arrivé pour annoncer la nouvelle, GroMatou a bien cru que c'était fini, fini l'enfer, retour

La vengeance est un plat qui pue...

au paradis, mais que nenni. Il fallait encore attendre. Que le chiourme s'habitue à son nouvel habitat. « Et moi ? » semblait hurler un peu plus fort GroMatou à chaque fois qu'il revenait. Jusqu'au jour où, enfin, GroMatou a pu rentrer chez lui. Et là, que n'a-t-il pas découvert en lieu et place de sa litière dans l'ancien bureau de son maître ? Un berceau ! Et un niard à l'intérieur ! Qui hurlait, braillait, gesticulait dans tous les sens. Il a regardé son maître qui paraissait tout heureux de lui présenter son nouvel ami. Mais la greffe ne prenait pas. Et GroMatou déprimait. C'était même devenu PetiMatou à force. Il dépérissait à vue d'œil. Panique dans la maison. GroMatou fait une dépression post-partum ! Un matin, toutefois, le Gémisseur en Chef, en travers de son lit, était tout calme. GroMatou s'approcha du berceau. Sauta sur le rebord et aperçut le nabot. C'était donc ça le braillard ? Incroyable comme ce petit être pouvait crier fort. Le marmot souriait et se mit à gazouiller. Pour sa part, GroMatou commença à ronronner. La partie semblait bien engagée. Entre la porte entrebâillée, le jeune papa appréciait le petit manège et s'amusait.

~~~~~~~

## CONSEIL D'AMI

Étape suivante : le petit dernier tire la queue de GroMatou.
Tous aux abris !

# COMPARAISON

Tous les jeunes parents le disent. Les comparaisons entre enfants sont terriblement pénibles. Ça marche aussi pour les jeunes pères entre eux. Certes, il existe bien des courbes et des statistiques permettant d'apprécier l'évolution de son gnome. Diantre ! Le jeune papa se le jure, il n'écoutera pas les vieilles rengaines des uns et des autres sur ces différents sujets. Mais sans le vouloir vraiment, il le fait au-to-ma-ti-que-ment. Tout commence avec les nuits. Il y a deux camps : les enfants qui les font très tôt et ceux qui les font, hélas, très tard. Souvent, le père de la première catégorie regarde le père de la deuxième avec, au choix, un petit sourire en coin, un air de dépit ou, mieux, un dédain remarquable. « Les nuits ? Ah mais tu rigoles, elle les a faites à un mois, la mienne ! J'ai rien fait pour, j'te jure ! Mais je crois que ça tient quand même aux parents, moi, avec Estelle, on est très cool, tu sais ? Et toi ? Ah. Elle a 10 mois et elle les fait toujours pas ? Ah ouais, en effet. Tu dois morfler, nan ? » Petite scène très ordinaire de la vie quotidienne de jeunes papas entre eux, au bureau,

La mienne...
elle sait déjà
compter jusqu'à
46... Elle
fait aussi
ses lacets
avec
même
un double
noeud...

Sans blague....!!!
la mienne
elle vient
d'avoir sa licence
de
kindersurpriseologiste

autour de la machine à café. Le lundi, autrefois, ils comparaient les résultats des matchs de foot de la Ligue 1, et désormais ils se retrouvent à compter les chicots des loupiots. « Il a pas de dents ? Naaaaaaan, j'y crois pas. Ah moi, au même âge, il en avait déjà quatre. Ouais, comme son père, toujours une longueur d'avance, tu penses bien ! » Mais la catégorie la plus redoutable reste celle des détecteurs d'enfants surdoués. Le jeune père écoute religieusement sans broncher son collègue et probable ancien ami. « Tu te rends compte, le mien, il sait déjà compter jusqu'à 6. Il a pas 13 mois. J'ai rien fait. Je te jure, il m'impressionne. Bon, faut que je te laisse, j'ai l'atelier "Maths premier âge" à 17 heures. Bah oui, s'il veut faire Polytechnique, ça peut être intéressant. On ne sait jamais ! » Souvent, à cet instant, le jeune père s'éclipse et pense avec bonheur aux séances de chatouilles avec son enfant. Il pense alors que son enfant n'est pas surdoué, mais juste… normal.

〰〰〰〰

## CONSEIL D'AMI

N'oubliez pas le sujet de la « diversification alimentaire ». Ça peut engendrer des discussions fort enrichissantes et toujours très objectives…

# COMPTINES

Au début, c'est juste pour faire un test. Le jeune père passe un de ces innombrables CD reçus par hasard à la naissance du niard, et découvre les comptines, des plus classiques aux plus improbables, du chant des Inuits dans la Baltique aux didgeridoos aborigènes, en passant par les muchachos mexicains sur la place Garibaldi. Un vrai tour du monde. Il se dit que sa progéniture sera certainement ravie d'entendre ces sons venus du monde entier. Ouverture d'esprit du papa. Bon point. Oui, mais voilà, son marmouset n'a que faire des flûtes endiablées et autres souffles dans la neige. Lui, ce qu'il veut, parce qu'il l'a vu et entendu chez la nounou, c'est René la Taupe. Et il n'en démord pas. Tant que son père ne lui aura pas passé René la Taupe, il hurlera, remuera ciel et terre, fera trembler les murs, au risque de perturber le sommeil de cette pauvre Mme Musquin dans l'appart' du dessus. « Mais regarde, mon chéri, c'est de la Legong dance balinaise ! » Il s'en contrecarre, voire il s'en contrefout littéralement, le mioche ! Le jeune papa ne cédera pas. Pas question. Pas pour René la Taupe ! Dans un premier temps, le jeune papa résiste. Le petit tape du pied, tape des poings. Le jeune papa craint un

court instant que la DASS ne débarque chez lui pour maltraitance. En plus de cela, les comptines du monde entier continuent de tonner dans la maisonnée. Cela ressemble maintenant aux tambours du Bronx en live avec Junior en guest star. Le petiot est rouge écarlate. Il se cogne la tête contre les lattes du parquet, qui s'impriment sur son front. C'est insupportable, le jeune papa se doit de faire quelque chose. Et là, que fait le jeune papa ? Il cherche le clip de René la Taupe sur Youtube. « T'es si mignon mignon mignon mignon, mais gros gros gros mignon mignon mignon mignon, mais gros gros gros. » Mme Musquin frappe du pied. Le papa apprenti baisse un peu le son, le petit se calme. Le tour est joué. Pour le multiculturalisme, ce sera pour une autre fois !

# CONGÉ PATERNITÉ

La loi permet au jeune papa de prendre un congé paternité de onze jours calendaires, qui s'ajoutent aux trois jours réglementaires liés au congé de naissance. Il est souvent conseillé de bénéficier de ce congé durant les quatre mois qui suivent la naissance de son enfant. Il lui faut aussi prévenir son employeur au moins un mois avant, et par lettre recommandée. Il est ensuite payé par la Sécurité sociale, tout comme sa compagne durant son congé maternité. Une aubaine ! Cette mise entre parenthèses de la vie professionnelle pour accueillir son enfant est encore compliquée. Si beaucoup de papas prennent désormais ce congé, certains hésitent encore. C'est l'occasion, tout à coup, pour le papa apprenti d'avoir le même rythme que la jeune maman. « Euh ? Vraiment ? Mais j'ai pas envie ! » s'esclaffe le jeune papa dans un premier temps. L'occasion aussi de vivre au diapason, de suivre les premiers jours de son enfant. « Non, non, je veux pas ! » De s'abandonner à son rôle de papa poule, d'être complètement gâteux sans

aucune gêne. « Ah bon ? Ah, bon, d'accord alors, je veux bien essayer… » C'est aussi le moment où le jeune père découvre l'univers des « PAF ». Curieux acronyme qui désignait autrefois la « Participation Au Frais » lorsqu'il était encore étudiant, lors des soirées entre amis, et qui maintenant désigne pour lui… les Pères Au Foyer. Ces PAF ne sont pas des hommes machos qui ont décidé de faire travailler leur femme à leur place, non, non, non. Ce sont des hommes qui ont fait le choix de s'occuper à temps complet de leur enfant. Les PAF ont surtout gagné leurs galons d'hommes, de vrais. Oui ! Les PAF sont les seuls hommes chez le pédiatre, les seuls hommes à connaître l'acronyme DPAM (Du Pareil Au Même, inculte !), à savoir qu'Oxybul s'appelait Fnac Éveil & Jeux avant, les seuls hommes à savoir faire des tresses, les seuls hommes à savoir ce qu'est du Bepanthen ou de la Calmosine, les seuls hommes à faire la différence entre les Gormiti et les Silly Bandz ! Bref, de vrais héros des temps modernes…

〰〰〰〰

## CONSEIL D'AMI

Comme tout bon PAF, il est temps de vous mettre illico à rédiger votre blog sur le Net pour partager toutes vos aventures ! Une vraie mode, et histoire de rester un peu tendance.

# COUCHER

Le jeune papa découvre les joies du coucher. C'est à cet instant qu'il fait preuve d'autorité. Qu'il montre sa force de persuasion. « Allez, on va se coucher. » Là, normalement, son enfant doit lui obéir. Il lui a fait son regard noir le plus puissant : sourcils rabattus, ride du lion bien marquée. Mais rien n'y fait. S'ensuit le début d'un bras de fer tendu. Au début, le papa apprenti ne négocie rien. « Au lit ! » Sa voix de stentor résonne dans toute la maison. En tout cas, son enfant est parti direct dans sa chambre. C'est déjà ça. D'habitude, il a droit à des scènes cauchemardesques sur le tapis du salon, où, couché par terre, ledit enfant tape pieds et poings sur le sol en hurlant « Je veux pas dormir !!! », telle une adolescente en transe sur du heavy metal. Mais à 2 ans, ça passe mal. Or là, Junior s'est sagement installé près de son lit et attend. C'est louche. Il a son sourire coquin. Mais non, il semble vouloir se coucher. Miracle ! Seraient-ce les prémices d'un possible commencement de début de sagesse ? « Dis, papa, tu me lis une histoire ? » Allez, OK, une histoire. Le jeune père

est ravi. Il se dirige vers la bibliothèque de Junior où des histoires parlent d'ours qui vont à la crèche, découvrent leurs amis, rêvent de monstres et de fées. Un monde de tendresse en somme. Son enfant lui demande alors de lire *Petit Bleu* et *Petit Jaune*. Et pour la 351e fois (il n'a pas compté précisément, mais à la louche, on doit pas en être très loin), il ne sait pas pourquoi, mais relire pour la 351e fois le met... vert de rage (les futurs papas comprendront la blague plus tard). Sans savoir pourquoi, il commence alors à improviser une danse tribale, une espèce de transe qui aurait toute sa place dans un spectacle de danse contemporaine. « Encore, papa ! Encore ! » Son enfant adore. Il en redemande. Le papa en transe continue de plus belle. « Encore ! Encore ! » Son enfant crie, hurle, est fou de joie. Sa femme débarque dans la chambre, le regarde, regarde son enfant fou de joie, surprise malgré tout. Le jeune père s'écroule, il est cuit, complètement crevé. Junior aussi. Il se couche et s'endort illico. Et lui claque un gros bécot. « Merci, papa, c'était super ta Danse de la Nuit. Tu pourras la refaire demain ? » Les enfants sont insatiables.

# COUCHES LAVABLES

Le jeune papa est plein de bonnes intentions. Il part dès le début de la grossesse de sa femme avec le souhait d'être un père exemplaire. Il sera le chantre de l'écologie enfantine, des préceptes d'éducation rigoureusement raisonnée et raisonnable pour l'environnement. Jusqu'à ce qu'il soit confronté aux… couches lavables. Il en vient même à maudire son épouse au moment de la découverte. Changer une couche peut dans un premier temps partiellement déstabiliser le nouveau père. « Je tiens bien les jambes ? », « Je lui fais pas mal ? », « Et comment je fais et pour lui tenir les jambes et le nettoyer en même temps ? » Autant d'interrogations essentielles et primordiales. Mais vient le moment où la jeune mère informe le cher papa qu'il ne faut en aucun cas propulser la couche souillée au fond de la poubelle. « Non, cette couche, mon chéri, tu réutiliseras. » Passée cette surprise, vient l'instant où le père ne maudit plus cette femme qui est aussi devenue une mère. Non, il a tout bonnement envie de… de la… ? = »)*ù& !!!???. Il cherche encore ses mots tant cela est violent. Mais déjà son enfant hurle. Foin de ces tergiversations. Et le jeune père, bien décidé à être exemplaire, commence à frotter les fesses de son enfant, en songeant qu'il lui faudra réitérer l'action sur la couche lavable. Jamais il n'a autant rêvé qu'à cet instant d'user de couches jetables. Soudain, pris d'un réflexe humain, trop humain, il se venge. « Mais mon chéri, ça va pas ou quoi ? Mais qu'est-ce que tu fais avec cette lingette jetable ? Arrête ça tout de suite ? Au gant de toilette, je t'ai dit ! » Et sa femme d'hurler. Et le jeune papa de jubiler.

## CONSEIL D'AMI

Toujours avoir un paquet de lingettes jetables
sur soi en balade avec son enfant.
Une arme aussi pratique que redoutable.

# COURS DE PRÉPARATION

Aujourd'hui, le futur père peut assister à des cours de préparation à l'accouchement. On le fait mettre en chaussettes, c'est plus convivial. Tous assis sur des tapis de gym (selon le confort choisi et la déco…). Le jeune papa est alors entouré de plein de mamans avec de jolis ventres arrondis. La première fois, il se peut sincèrement qu'il soit le seul homme de l'assemblée. Mais progressivement, les mamans disent à leur mari, pétri de remords, que « quand même, il aurait pu faire un effort ! ».

Le jeune papa volontaire se dit qu'il s'agit là d'une expérience pour le moins intéressante. Déjà, cela lui apprendra à vérifier l'état de ses chaussettes. Un trou juste au niveau du gros orteil, ça la fout mal pour le futur père responsable qu'il veut être. Ensuite, il y découvre tout plein de choses. Les questions fusent. « Peut-on encore faire l'amour ? La péridurale, ça fait mal ?

Où mon bébé ira-t-il juste après l'accouchement ? Est-ce que mes seins retrouveront une taille normale ? » Autant de questions, naturellement, qu'il ne se posait pas encore. Il a très fortement la sensation de pénétrer au cœur des problèmes et des questions interdites jusqu'à présent aux hommes. Ou bien d'être dans un gynécée du XXIe siècle ! La parole se libère. Tout à coup, il se dit que les femmes se disent tout. Vraiment tout. À côté, ses discussions avec ses potes, c'est peanuts. Là, en un clin d'œil, il est au cœur des choses. « Allez, maintenant, on va dessiner votre utérus. » Étrangement, les mamans regardent fixement leurs chaussettes. Sans trou, pour elles. Seul homme dans cette assemblée, le jeune papa est donc tout désigné pour aller au tableau. À quoi, diantre, un utérus peut-il donc ressembler ? Il cherche vaguement et rapidement dans sa mémoire des années collège. La même période où rien que le mot « sexe » provoquait chez lui et ses amis des rires gras. « Eh bien, cher monsieur, sachez qu'un utérus a une forme de poire inversée. Et l'embryon, c'est comme la taille de votre trou de chaussette. Il ne cesse de s'agrandir. » Bigre, cette sage-femme aux allures de Super Nanny l'a démasqué.

# CRAVATE

Le jeune père découvrira très vite qu'il peut devenir une idole sans se fatiguer. Une seule chose à faire : venir ne serait-ce qu'une seule fois à la crèche récupérer son enfant. Toutes les assistantes de puériculture et autres éducatrices n'auront d'yeux que pour le papa du bambin. « Oh ! Ah ! C'est vous ! On se demandait bien si on vous verrait un jour. » Le jeune papa à cet instant doit faire profil bas, sourire un peu mais pas trop, resserrer sa cravate et admirer l'effet du costume sur ce gynécée moderne. « Et tout se passe bien ? Mon petit bout a été gentil ? » Là, naturellement, l'assistante de puériculture, qui, habituellement, n'en peut plus de sa journée, des cris de tous ces mouflets, et n'a qu'une envie, vite rentrer chez elle, répond, goguenarde : « Impeccable. Votre enfant est un ange. Vous voulez que je vous fasse faire un petit tour de la crèche ? » Le jeune père doit laisser planer le doute un instant. Resserrer sa cravate.

Et lâcher tout de go, avec pas mal d'aplomb : « Non, je m'excuse, je dois rentrer, ma femme n'est pas là ce soir, je dois m'occuper du bain. » Tâche monumentale, en effet. De quoi susciter sans aucun doute l'admiration décuplée de toutes ses nouvelles groupies. « Merci beaucoup pour ce que vous faites pour mon enfant. On apprécie beaucoup. » Ne pas attendre le « Oh ! c'est normal » : il se lit dans les yeux de biche de l'assistance féminine ébahie.

~~~~~~~~

## CONSEIL D'AMI

Veillez à dénouer légèrement votre cravate
avant d'entrer dans la crèche, l'effet n'en sera
que plus marquant.

# DIS PAPA POURQUOI

Les premiers mots de Junior sont pour le moins comiques. Le jeune papa en fait vite l'expérience et apprend rapidement à déchiffrer le sabir de son propre garnement. À ce sujet, inutile pour le jeune papa de se plonger dans quelque *Manuel du marmot illustré*, tout s'apprend sur le tas. « Dis, papa, pourquoi on dit "sur le tas ?" » Viennent en effet, ensuite, des « tas » de questions très saugrenues, auxquelles, lui-même, le jeune père, n'a jamais pensé. Et surtout auxquelles il a un mal de chien à répondre ! La première fois, il semble tout simplement estomaqué. « Mon enfant est génial, il pose les bonnes questions, au bon moment. » Au bout du trente-septième « Dis, papa, pourquoi », il commence légèrement à en avoir tout simplement assez. « Mais tu veux pas arrêter avec tes questions, à la fin ! Je t'ai dit : je sais pas ! » Le ton peut vite monter entre le bambin et son géniteur. Le meilleur moment, toutefois, réside dans

les réflexions à haute voix de l'enfant, dans les bou-
tiques ou ailleurs. La pudeur ou la timidité, les enfants
ne connaissent pas. Le papa en fait vite l'expérience. À
la caisse du supermarché : « Dis, papa, pourquoi la
dame, elle est pas belle ? » ; dans le bus : « Dis, papa,
pourquoi la dame, elle sent pas bon de la bouche ? » ; au
cinéma, tout fort : « Dis papa, pourquoi tu pleures ? » ;
à la fête des pères : « Dis, papa, pourquoi maman, elle
veut pas que je te donne le livre qu'on a acheté pour
toi ? » Bref, autant de questions désarmantes auxquelles il lui faudra trouver une réponse le plus rapidement possible.

〰〰〰

## CONSEIL D'AMI

Le « parce que » marche toujours très bien
en guise de réponse.

# DIVERSIFICATION ALIMENTAIRE

Le jeune papa peut raisonnablement s'inquiéter en voyant son enfant toute la journée suspendu à la poitrine de sa femme (si elle allaite, bien sûr). Point très positif : l'enfant ne sera pas toute sa vie accroché aux seins de sa mère. Déjà, au bout de quelques semaines, voire plusieurs mois, il cessera d'être allaité par sa génitrice. Finies les séances poitrine à l'air, un peu partout, ici ou là. Ouf ! Junior passe alors au biberon.

C'est là que le jeune papa peut enfin jouer sacrément son rôle. Et découvrir les yeux pleins d'amour (et sacrément intéressés !) de son marmot à l'heure des repas. Son père peut donc lui apporter lui aussi toute satisfaction avec cet étrange objet qu'on nomme biberon. Là, encore une fois, les gestes du papa sont un peu gauches. C'est un coup à prendre. Puis, avec les premières prises, tout rentre dans l'ordre. Très vite, il adapte les vitesses à la déglutition de son enfant. Et vogue le navire.

Junior découvre ensuite les « vrais » aliments. Ah, enfin ! Le jeune père se fait une joie de lui faire découvrir alors les mille et une saveurs de ses plats et autres aliments préférés. Ce sera l'occasion de lui parler des heures et des heures de ce reblochon, de ce comté fruité, de ce pont-l'évêque bien crémeux et affiné à souhait. Même si le pédiatre invite à faire goûter en priorité des fromages sous forme de pâte à tartiner sans saveur. Damned ! Le jeune père se jure alors d'emmener sa progéniture un jour dans les caves de Roquefort pour venger cet affront gastronomique ! Et les fruits, alors ? Le jeune père se régale d'avance de cette purée d'abricots bien mûrs qu'il a préparée avec amour pour Junior. « Les fruits, c'est bon, non ? Je peux ? » demande-t-il quand même... L'abricot ? Son fruit préféré ! Son toucher suave ! Sa chair juteuse et veloutée ! C'est bon ? Le jeune père approche alors religieusement la cuillère pleine d'abricots réduits en purée de Junior, non sans une certaine émotion. Son fruit préféré ! Imaginez donc ! Splaaaaaartch ! À peine en bouche, Junior recrache tout l'abricot au visage de son père. Pour l'abricot, il repassera...

# DOUDOU

Le jeune père a nécessairement oublié l'époque heureuse de sa jeunesse où il déambulait n'importe où avec une vieille peluche ou une chemise de nuit en pilou-pilou démantibulée, dérobée à sa mère. Cet objet parfois non identifié va pourtant très vite réinvestir sa vie quotidienne et surtout devenir, au choix, son meilleur ami et/ou son pire ennemi. Car voilà, son propre enfant pourra jeter son dévolu sur N'IMPORTE quel objet autour de lui, à partir du moment où il lui apportera de la tendresse, de la douceur et du réconfort. Cela va de la chemise de nuit en pilou-pilou, donc, à l'ours en peluche encore présentable, jusqu'au bougeoir (les enfants n'ont pas le sens pratique, franchement). Le doudou prend progressivement dans la vie de son enfant une place centrale. Certains n'en ont pas (quelle chance !), d'autres restent collés à cette maudite chemise de nuit en pilou-pilou jusqu'à… parfois très tard.

Le jeune père doit dès lors supporter la vue de cet étrange objet dans tous les endroits du quotidien, du supermarché jusque sur la plage ou à l'école. Il est donc bon de ne mettre à disposition de son enfant que des objets sympathiques, légers et facilement remplaçables. Le doudou est aussi énergivore et très peu écologique. En effet, combien de fois le jeune papa ne doit-il pas faire demi-tour après plus d'une heure de route, pour récupérer le doudou oublié à la maison (pire que l'éternelle question « T'as bien éteint la cafetière ? fermé la porte d'entrée ? », mieux, désormais : « T'as pas oublié le doudou ? ») ? Sans oublier qu'il faut bien sûr jouer les pompiers de secours en cas d'accident ou de suicide inopiné de doudou. Dans ces cas-là, mieux vaut pour le jeune papa ne pas avoir choisi le nounours rose à paillettes de la collection automne-hiver 1991-1992 de sa marque de joujoux préférés.

# ÉCHOGRAPHIE

Le temps de la grossesse, trois échographies sont obligatoires et remboursées par le système de Sécurité sociale. Au moins trois temps forts dans la vie d'un couple qui découvre enfin la tête ou une partie du corps de l'enfant futur. « Oh ! Un bras ! Oh ! Une jambe ! » sont les phrases les communément entendues chez l'échographiste. Les progrès sont tels que désormais les échographies sont même réalisées en 3D. Une vraie mode, visiblement. Mais à moins d'aimer les films d'horreur, le choc peut être brutal ! L'émotion est à son comble. Le jeune père trépigne d'impatience. Il va enfin pouvoir apercevoir « son » pitchounet ou « sa » pitchounette. Oui, c'est aussi, parfois lors de ces échographies, l'occasion, certes, de contrôler l'ensemble des paramètres de la grossesse, mais aussi de connaître le sexe du divin enfant. Les jeunes parents s'installent. La future maman n'en peut plus. Un peu de gel sur la sonde. « Ouh, c'est froid ! » est une autre phrase communément entendue. Et là... soudain... RIEN ! Pas un bruit.

Nada. Le jeune papa blêmit. « Vous inquiétez pas, j'ai pas mis le son. » Le jeune père est au bord de l'apoplexie. L'échographiste tournicote, haut du ventre, bas du ventre, re-haut du ventre. Sa petite affaire semble prospère. Il prend des mesures. L'air grave. Calcule. Le jeune père ne quitte pas l'écran, il jette un coup d'œil à la jeune maman, prête à s'évanouir. Sur l'écran, le papa en apprentissage intensif ne voit que des taches blanches et noires, rien de bien fou, quoi. C'est donc ça, l'échographie ? L'échographiste continue son tour du propriétaire. Pas un mot. Puis soudain, il regarde les jeunes parents, l'air hagard, et éructe un « Eh bah, tout va bien ! » Le jeune père est interloqué, la maman s'effondre. On saute quand de joie ? Quand danse-t-on la rumba autour du ventre rond de l'héritier ? Y a pas de feu d'artifice ? Cet examen clinique n'est pas l'instant de bonheur souvent représenté dans les films. Le futur papa est déçu. Puis l'échographiste les interpelle : « Vous avez vu ? » – « Bah quoi ? » vocifère le jeune père.

« Là, vous avez un bras, le bras droit ; là, la tête. Tiens, le nez… » Secrètement, le papa reconnaît alors le grand nez de sa femme, enfin, de sa belle-mère même ! Rencontre pour le moins inopinée. La jeune mère lit dans les yeux de son amoureux et lui tape sur la tête en rigolant. C'est sa tête, ça ? Ce petit ballon ? « Oui, oui. Là c'est une main, la gauche, et comme vous le voyez, votre enfant suce son pouce. » Magique. « Et là, vous voyez le sexe ? » Les choses s'emballent. Le jeune père, fort bavard, pousse généralement un « Euh, non, je vois rien ». L'échographiste poursuit la balade intergalactique. « Regardez-moi ça… » L'objet de toutes les appréhensions est alors bien visible. C'est un(e)……….. (à compléter). À cet instant, les futurs parents s'étreignent. Et les mouchoirs sortent.

# ÉCOUTE-BÉBÉ

Le jeune père craint pour la sécurité de son enfant à peine est-il né. Les premières nuits, il prend soin de garder l'enfant à ses côtés, près du lit conjugal. Première erreur. Les borborygmes du nouveau-né sont inimaginables pour le commun des mortels. Impossible pour le jeune père de fermer l'œil avec ces innombrables « blurps », « tsssss », « aheun » du petit nain. Au moindre bruit, le couple sursaute, tend la tête au-dessus du couffin. Ne dort pas. Réveille l'enfant. Qui se met à pleurer. Bref, l'enfer. Le père, pris d'un élan d'autorité paternelle insoupçonnée décide alors de coucher le nourrisson dans sa propre chambre. Sa femme, toute impressionnée par tant d'autorité, se dit : « Quel homme ! » À charge au père ensuite de se rendre dans des magasins de puériculture pour s'entourer d'objets soi-disant censés garantir son propre sentiment de sécurité. C'est ainsi qu'il fait l'acquisition d'un écoute-bébé. Deuxième erreur grave ! Il s'agit d'un simple

récepteur équipé d'un micro, à placer près du berceau de l'enfant, et d'un moniteur, amplificateur de voix, à placer près de soi. La belle affaire ! Voici la vie du jeune couple désormais régie par ce simple outil, terriblement stressant. Chaque bruit, du plus léger au plus fort, est décuplé. La première nuit, à côté de celles à venir, c'était une retraite dans un monastère. Voici le jeune couple désormais plongé dans une rave-party ! Bébé se retourne, papa sursaute. Bébé éternue, papa ressent un tremblement de terre traverser tout le lit conjugal. Bébé chante, et c'est tout simplement… insupportable. Sans compter les moniteurs oubliés, les quiproquos et les câlins ou autres discussions sensibles retransmis en direct à table pendant les réunions de famille.

〰〰〰〰

## CONSEIL D'AMI

N'achetez JAMAIS d'écoute-bébé.
Sauf si vous habitez dans un château
de vingt-huit pièces !

# FIÈVRE

Ouuuhh là, làlàlàlàlàlàlà ! Junior a 38 °C de fièvre !
Branle-bas de combat dans toute la maisonnée. Le
jeune père retourne la maison pour retrouver le thermomètre acheté en préparation de l'arrivée de Junior.
C'est bon, il l'a retrouvé, il était bien caché sous un des
bords de la table à langer. Tiens, une pièce de 2 € ! Et la
boucle d'oreille que sa femme recherchait depuis des
semaines, des sucettes perdues et plein d'autres brim-
borions… Un vrai champ de bataille. Une aubaine pour
les archéologues du XXIe siècle. Le sentiment que les
choses sérieuses commencent gagne le jeune père.
Quelque part, il n'attend que ça depuis des mois. On lui
en a tellement parlé. Il est paré. Sur le front de guerre.
« Ah ! la fièvre ! Quand ton enfant sera malade ! Tu verras ! » Eh bah voilà, son tour est venu… Il a beau avoir
lu Laurence Pernoud dans tous les sens, connaître tous
les chapitres par cœur, même les numéros de pages,
rien n'y fait. Il a un peu les pétoches. De la fièvre ! Ça y
est ! Allez, thermomètre. On se croirait dans *Urgences*.

Le jeune père est Doug Ross, et Carol Hathaway, sa femme, son assistante, le regarde, les yeux embués d'amour. Bon, il y a peut-être aussi un peu de fatigue, mais ça marche quand même. Les chiffres défilent 37,2... 37,5... 37,9... 38. Ça s'arrête. Voilà, c'est tout. Ça n'ira pas plus loin... Le jeune père découvre alors l'usage du paracétamol à donner en pipette. C'est sucré, ça sent la fraise à plein nez. « Tu vas te faire avoir, mon lapin, mais c'est pour ton bien ! » Le papa égrène les graduations de poids. Un, deux, trois... tout pareil. Ça monte, ça monte... C'est bien foutu quand même ! Il tend la pipette sucrée à Junior qui adore. Allez, c'est bon, ça va passer. Il sent sa femme fébrile. Déjà Junior sourit, fait des risettes, visiblement, ça n'a pas l'air bien grave. Par contre, sa femme, c'est pas la forme. « Un peu de paracétamol, chérie ? »

# FILLE OU GARÇON

L'heure est au pari en attendant la deuxième échographie (celle où souvent on apprend le sexe de son futur enfant, pour les plus ignorants du planning émotions des futurs papas). C'est aussi l'occasion pour le futur père de découvrir les différentes croyances populaires liées au sujet. Les grands-mères disent qu'un ventre rond est gage d'une fille dans le foyer et le ventre en pointe celui d'un garçon. Un bébé haut, une fille ; un bébé bas, un garçon. Tout cela n'est que superstition, bien entendu. Mais bon, ça peut marcher. Le jeune papa écoute d'une oreille distraite. Il se sent vulnérable, mais bon, c'est son état qui veut ça. La forme du ventre de la maman dépend avant tout de sa constitution, lui dit alors son copain médecin. Une femme à l'ossature large aura un ventre impressionnant. À l'inverse, une femme de petite constitution verra son ventre très rebondi. Logique ! Idem à propos de la position du dos : plus il sera courbé, plus le ventre ressortira. Encore plus

logique ! Mais bon, quand même, le futur papa, même s'il ne croit pas toutes ces fichaises, écoute d'une oreille de moins en moins distraite les histoires de grands-mères. Allez, va pour l'anneau ! Il s'agit de glisser l'anneau dans un fil, tendu sur le ventre de la future mère. S'il tourne, c'est une fille, s'il se balance de haut en bas, ou de gauche à droite, en ligne droite, c'est un garçon. Les chances pour que sa mamie soit extralucide sont au moins de 50 %... Les uns et les autres répéteront que les envies de sucré annoncent une fille et les envies de salé des garçons ; une vie sexuelle débridée, une fille, et le contraire, un garçon. Le futur papa réfléchit un instant. Dans tous les cas, une simple échographie apporte la réponse à tous ses amis bonimenteurs, mais chaque fois le jeune papa se laisse faire. Charmant, finalement !

## CONSEIL D'AMI

Si vous voulez rire un peu, et que vous connaissez
le sexe de l'enfant, sans le dire, écoutez les pronostics
et les avis très tranchés des intéressés sur la question.
Ça peut vite devenir intéressant...

# GRANDS-PARENTS

L'annonce de la future naissance est un moment touchant dans la vie d'un futur papa. Quelle sera la réaction des parents ? Positive ? Négative ? Les jeunes papas redoublent d'inventivité en la matière. Certains viennent au repas du dimanche avec des choux et des roses. Ça peut faire son effet. Papa comprend pas forcément la présence de choux dans son assiette, mais maman est au moins très contente de recevoir des roses. D'autres optent pour des messages moins subliminaux : un pack de « Mamie Nova » (les confitures « Bonne Maman » ou le café « Grand-mère » font aussi l'affaire) et un paquet de cakes Papy Brossard. La traditionnelle annonce « ting ! ting ! ting » en frappant son verre avec son couteau permet de préparer l'annonce, mais peut provoquer de petites émotions incontrôlables au cours d'un repas de famille. Les futurs papas les plus vicieux glissent aussi, inopinément, une photo d'échographie au milieu des traditionnelles photos de vacances.

Effet surprise garanti. Enfin, les papas les plus prévoyants demandent ce que font les grands-parents à telle date. « Pourquoi ? » peut être l'étrange réponse des futurs grands-parents, et l'occasion d'annoncer alors la date prévue de l'arrivée du futur petit-enfant dans la famille … Reste qu'il faut les ménager, ces futurs grands-parents. Le futur papa aura très certainement besoin de leur aide pour repeindre la chambre ou faire garder sa progéniture quelques soirées durant les premiers mois. Il s'agit donc d'éviter les émotions trop fortes !

〰〰〰

## CONSEIL D'AMI

Les futurs papas en mal de grands-parents peuvent en adopter. Si, si, ça existe ! Via le site http://grandsparrains.chez.com. Tant pis pour l'effet d'annonce, mais satisfaction assurée !

# HAPTONOMIE

Le jeune père, avec la grossesse de sa dulcinée, découvre des termes jamais soupçonnés auparavant (voir aussi « Charabia »). C'est aussi le charme de cette période : être incollable sur des sujets qui, quelques semaines plus tôt, ne présentaient strictement aucun intérêt. Les vitesses des tétines de biberon, le coussin d'allaitement, la chancelière (là, certains froncent les sourcils, rendez-vous au paragraphe « Poussette »), et puis enfin l'haptonomie. Terme aussi étrange que magique. Cette technique inventée après la Seconde Guerre mondiale permet, grâce au toucher (*haptein*, en grec – pour faire savant), sur le ventre de la femme enceinte, de sentir l'enfant, bien accompagné, venir se lover au creux de la main. L'enfant, tout à coup, se met à suivre le futur papa. Une rencontre digne d'*Alien* où tout à coup le jeune père est le réalisateur du film. Magique, oui. Une fois le rendez-vous pris, le jeune papa peut enfin avoir l'espoir de rencontrer Junior. Certes, au prix de la consultation, non remboursée par la Sécu, ça fait cher la rencontre, mais bon, paraît que c'est magique.

Ça y est, le jeune papa est arrivé, Junior ne va pas tarder à lui taquiner la paume. Le jeune père glisse ses mains sur le ventre de sa femme. Et il attend. Faut pas non plus être trop pressé. Faut pas brusquer bébé. Quand, soudain, le papa sent quelque chose… C'est… c'est… ça ? Ah non, ça, c'est sa femme qui digère mal son pain au chocolat. Faut vraiment être plus patient que ça. Pendant ce temps, cela permet au papa de divaguer. Il regarde le ventre bien rond de sa bien-aimée. Il trouve qu'elle a bien pris. Pas de vergetures, par contre. « Bravo, ma chérie », se dit-il. Allez, c'est bon, là ? Le jeune papa continue d'explorer la surface ventrale de sa femme, tel Paul-Émile Victor en route vers les pôles. Mais rien ne vient. Monsieur est trop impatient. « Voilà, ça fait 150 €. Merci, à la prochaine fois. » …

〰〰〰〰

## CONSEIL D'AMI

Tendez l'oreille sur la peau douce de votre tendre élue, le soir, bien détendu, lorsque Junior commence à gigoter. Peut-être pas le même effet, mais une rencontre vive et bien enlevée !

# LANGUES

Avec l'arrivée du jeune enfant, le futur père se pose des questions existentielles quant au développement du langage chez son bambin. Paraît que le petit peut tout apprendre durant les premières années de sa vie. Il suffit de lui parler de nombreuses langues pour lui faire apprécier les sons et le laisser apprivoiser les autres dialectes. Dès les premières semaines de grossesse, le père en devenir recherche pour ce faire les agences de jeunes filles au pair chinoises, espagnoles, anglaises (« Au moins, il partira avec un solide bagage, il contrôlera la moitié de la planète, ce sera un enfant « international. »). Il écume tous les ateliers d'apprentissage de langues pour jeunes enfants. Lui-même reprend les cours de langue, croate option ouzbek. On ne sait jamais, ça peut servir pour les métiers de niche. « Tu verras, ce sera un Viking, mon enfant ! Il sera Président du Monde. » La maman rit doucement sous cape. Les méthodes *Comment parler le Tchèque en 90 jours* s'entassent à côté du lit. La phrase préférée du futur papa devient soudainement : « Tu sais

C'est ce qu'on appelle
avoir un trouble de la parole...!

comment on dit "bonjour" en japonais ? Et en bulgare ? En bambara, on dit *ani sogomen* le matin, *ani tlé* à midi et *ani oulà* le soir. C'est fou, nan ? Tu sais, tu devrais t'y mettre, c'est important pour l'ouverture d'esprit de notre enfant. » La maman rit un peu plus chaque jour. Puis le bébé arrive. Le jeune papa est encore tout imprégné des velléités lexicales qu'il souhaite transmettre à son enfant, comme un héritage, une ouverture sur le monde. Étrangement, les premiers jours, les premières semaines, le jeune papa abandonne les cours de langue, range ses méthodes, et la jeune maman, secrètement, écoute à la porte de la chambre où le papa parle avec son enfant. Elle tend l'oreille, s'attendant à un poème moldave ou une comptine peule, quand surgit ce conte venu d'on-ne-sait-où : Gouzou, gouzou, gouzou, ppppppffffffoooo, gggggggrrrrr, jjjjjjjjooooouuuu, a-e-i-o-u, a-e-i-o-u, a-e-i-o-u, chui caché, chui plus caché, chui caché, chui plus caché… La mère sourit, et s'éloigne. Pour l'international, on repassera.

## CONSEIL D'AMI

Rangez Proust et Stendhal, à vous
Petit Ours brun, Oui-Oui et Winnie l'Ourson !

# LAURENCE PERNOUD

S'il y a bien un ouvrage qui suit les mamans de génération en génération, c'est bien le Laurence Pernoud. Les mamans sont fières de le transmettre soit à leur fille, soit à leur belle-fille. Voire à leur fils. Elles remettent précieusement cet objet corné, mâchonné, avec de vieux dessins glissés entre les pages. C'est une bible, LA bible même des jeunes mamans, qui, comme un rituel, commencent par *J'attends un enfant*, puis poursuivent avec *J'élève un enfant*. Des best-sellers ! Si feue Laurence Pernoud n'est plus de ce monde pour transmettre ses conseils, ses héritières le font toujours avec passion. Le plus amusant consiste toutefois à lire les conseils prodigués autrefois, à se replonger dans les « vieux » Laurence Pernoud. La rengaine « Ah ! À mon époque, on ne faisait pas comme ça ! » commence alors. Et les futures grands-mères de regarder, effarées, les méthodes employées par leurs enfants. Le plus souvent, elles sont déjà surprises de voir les papas s'occuper de leur bébé. « Moi, ton père, il en foutait pas une. Remarque, tu me diras, ça change pas beaucoup. » Les grands-mères hurlent en voyant les jeunes parents faire dormir leurs petits-enfants sur le dos. « Ah bon ? Toi, tu dormais sur le ventre. » Les livres de Laurence Pernoud permettent justement de faire revivre avec nostalgie sa propre naissance. De voir le chemin parcouru. « Attends, me dis pas que tu stérilises pas le biberon ? Mais t'es cinglé, ma parole ? » Le coup de grâce. « Quand je pense au temps que je passais à stériliser tous tes biberons ! Et toi, hop ! hop ! tu passes ça sous l'eau chaude avec du savon de Marseille. Ah non, franchement, ça a bien évolué ! » Sainte Laurence Pernoud, grâce à vous, chaque jour un peu plus, les jeunes papas constatent avec vos livres la théorie de l'évolution en action !

〜〜〜〜〜〜

## CONSEIL D'AMI

Gardez vos propres exemplaires pleins de miettes de pain au chocolat. Fous rires assurés dans quelques années !

# LIBIDO

Alors qu'avant la grossesse, la vie sexuelle du jeune père ressemblait à celle d'un chimpanzé en rut, autant vous le dire tout de suite, avec l'annonce de l'arrivée de bébé, il ressent fortement sa proximité avec les conditions de reproduction du panda. Car, il faut bien l'avouer, ce n'est désormais plus vraiment pareil. Déjà, physiquement, la future maman prend quelques centimètres de poitrine. C'est plus ou moins phénoménal. La publicité « Regardez-moi dans les yeux. J'ai dit "dans les yeux" », il la vit en live tous les jours. Eva Herzigova ressemble à sa femme. Il se dit : « Chouette, la grossesse c'est fantastique. » Par contre, sous la couette, c'est moins la fête. Même si on lui répète à loisir que, non, non, non, il ne va pas heurter la tête de son futur bambin à chaque coup de rein, sa bien-aimée trouvera plusieurs bonnes raisons de mettre entre parenthèses leurs galipettes.

Parfois, certains sont plus chanceux, c'est complètement l'inverse. La sensibilité et la libido de leur partenaire sont décuplées par les hormones. Là, par contre, faut assurer ! Reste qu'il s'agit d'un moment très particulier de la vie du couple. Il se passe quelque chose. « Quelqu'un » est là, entre eux. Il faut parfois faire abstraction de cette présence. La grossesse est aussi l'occasion de réviser son petit kama sutra illustré, que tous les futurs papas avaient déjà remisé au fond de leur table de nuit. Il n'y a pas que l'acte dans la vie. Les caresses et autres friandises peuvent aussi réveiller les sens de chacun. Une période d'intenses chamboulements !

〰〰〰〰

## CONSEIL D'AMI
Sont mignons, les pandas, nan ?

# LIT-PARAPLUIE

Le jeune papa découvre assez rapidement que les instruments de torture moyenâgeux sont toujours en usage au XXI$^e$ siècle. Il suffit d'ouvrir un lit-parapluie pour comprendre son malheur. Qui a donc pu, un jour, concevoir cet objet ? Qu'il le sache tout de suite, le jeune père sera ridiculisé devant sa tante Évelyne ou ses potes de rugby. Car, essayons de concevoir clairement la chose : il s'agit de déplier un engin métallique, de tirer de façon latérale quatre parois opposées et d'entendre un petit « clic » salvateur. Rien de gagné pour autant à ce stade. Car tante Évelyne ajoute souvent à cet instant : « C'est fou ce qu'on fait maintenant, y avait pas tout ça à mon époque ! tiens ! dis ! t'as vu il est mal embranché ton truc, là ! », désignant l'une des parties latérales visiblement mal cliquetée. Et la femme du jeune père de surenchérir : « De toute façon, il a jamais été manuel. » Normalement, l'envie vient soudain au papa en apprentissage d'empaqueter et sa femme et sa tante dans le lit-parapluie bien replié. Oui, mais voilà, non seulement il ne sait pas le replier, mais son enfant se met maintenant à hurler. Junior a très envie de dormir. Le papa doit vite trouver la solution à ce clic non cliqueté. C'est alors qu'il découvre que non seulement, ce lit se déplie mal, mais que maintenant il ne se replie plus malgré ses différentes gesticulations ridicules. « Il faut lever et appuyer en même temps sur un petit bouton. Regarde, c'est marqué dessus », note sa femme. « Et s'il dormait sur le lit ? Avec plein de coussins autour ? Ça ira, nan ? Tu crois pas ? », lance alors le papa dans un moment de désespoir technique et de grande solitude. Sa femme voit rouge. Elle a acheté ce lit-parapluie sur un site de vente privée, c'est pas le moment de la contredire. Pile à cet instant, ouf, les quatre boutons invisibles cliquettent ensemble. Le voilà libéré. Le matelas déroulé, bien étalé. Le papa dépose délicatement son enfant dans son lit d'appoint. Et sous son poids, tout se referme en un tournemain. Les potes sont explosés de rire, la tante Évelyne lève les yeux au ciel. Sa femme et son enfant pleurent (pas pour les mêmes raisons). C'est sûr, demain, il peut divorcer, la DASS lui retirer son enfant, mais le lit-parapluie, c'est terminé.

~~~~~~~~~

## CONSEIL D'AMI

Ne jetez plus jamais les notices d'utilisation des objets de puériculture. Vous pouvez observer le même phénomène chez le père en bord de mer, avec sa tente pop-up non repliable.

# MAMIE

Deux réactions fort possibles lorsque la mère du jeune père apprend son prochain statut de « grand-mère ». Soit elle est ravie et retrouve immédiatement ses aiguilles et sa laine. Soit elle boude et ne veut absolument pas entendre parler de l'éventuelle hypothèse qu'on puisse peut-être un jour l'appeler… « grand-mère » ! Effectivement, à l'heure où le Botox et l'acide hyaluronique font des ravages chez les femmes de plus de 50 ans, imaginez le choc quand le futur papa lui apprend qu'une branche supplémentaire viendra compléter l'arbre généalogique. Tout commence par une résistance par rapport au petit nom à lui donner. « Je ne veux pas qu'on m'appelle "grand-mère" ! Encore moins "mamie" ! » Le futur papa s'amuse à forcer le trait. L'appelle « mami » ou « mamy » à l'anglaise. « "Mummy", peut-être ? – Et pourquoi pas "mémé" pendant que tu y es ! Quelle horreur. Rhôôô, excuse-moi de te le dire, mais c'est vraiment la poisse, ton truc. » Songeons juste un instant à cette dernière phrase. La future grand-mère juge l'arrivée de son petit-enfant comme un événement pas bien heureux. Allons bon ! Mais ce n'est pas fini. Le jeune père enfonce un peu plus le clou en lui suggérant de trouver un autre diminutif. Là, c'est un festival. Les grands-mères qui ne veulent pas prendre de coup de vieux (autant appeler un chat un chat) trouvent des idées sur les terres étrangères ou dans les vieux manuels de langue française (la dernière coquetterie à s'accorder pour éviter le « mémé »). Le mieux, pour s'en rendre compte, est de s'asseoir dans un parc et d'écouter les petits-enfants appeler leurs grands-mères. « Grané ! Mamou ! Mamina ! Nina ! Nonna ! Yaya ! Mamiko ! » Une façon comme une autre de faire le tour du monde…

~~~~~~~

## CONSEIL D'AMI

Expliquez, en dernier recours, que la présence d'un esprit jeune aux côtés de votre mère peut accélérer l'effet de rajeunissement global.

# MANIAQUE

Si le futur papa est un peu maniaque, s'il aime que tout soit bien rangé, que rien ne dépasse, que chaque objet soit bien à sa place… eh bien, c'est simple, qu'il oublie tout de suite tous ces beaux préceptes ! Si, en allant chez des amis jeunes parents, il trouve que c'est un peu le bazar, qu'il se le dise tout de suite : chez lui, ce sera pire. Disons qu'avec l'arrivée d'un petit être, une foule de choses nouvelles à gérer arrivent aussi, et le rangement ou le ménage deviennent dès lors le cadet des soucis du couple. L'ancienne cuisine javellisée à souhait ? Après l'arrivée de bébé, ce sera tout simplement un champ de bataille dévasté où seuls subsisteront des arbres à biberons en train de sécher et des traînées de poudre de lait, dignes des toilettes de boîtes de nuit à la mode, sans oublier les vieux boudoirs écrasés… Le joli petit salon avec canapé, petits coussins colorés, table basse et beaux livres ? Plus qu'un vieux souvenir : au milieu du canapé traîneront

un coussin d'allaitement, des Sophie la Girafe cachées sous les oreillers, qui couineront à n'en plus finir, et sur la table basse les abonnements à *Familles magazine*, *Bébé magazine*, *Super Parents magazine*, *Un bébé c'est facile magazine*... Le plus intéressant restant la table à langer du nourrisson : les couches usagées, les tubes de sérum physiologique vides avec leurs petits bouchons dégoupillés, et les pipettes roses de Doliprane s'y entassent. Le père essaie un tant soit peu de faire de la résistance en achetant des « sacs à couches » (oui, oui, oui, ça existe !). Rien n'y fait. Dans la baignoire, les jeux dans le petit sachet ont sacrément pourri. Le bac à linge sale débordant de tous côtés ressemblerait presque à une œuvre d'art contemporain. Dans le parc, les jouets recouvrent le sol, à tel point qu'on ne peut plus trop y asseoir Junior.

Le cataclysme se poursuit jusqu'aux abords du lit, où s'emmagasinent divers objets aussi barbares qu'un tire-lait ou une turbulette, à moins que ce ne soit un vieux pull du jeune père recyclé en doudou une nuit de désespoir... De toute façon, le couple vit dans le noir depuis des semaines, n'ayant même plus la force de tirer les rideaux ou d'ouvrir les volets ! Là, plus aucun doute, le jeune père est bien devenu père. Et cette infinie sagesse qui l'anime (à moins que ce ne soit de la grande fatigue) face à ce chantier apocalyptique qu'est devenue sa maison l'honore : il est père, ça c'est sûr !

## CONSEIL D'AMI

Engagez une femme de ménage dès la naissance de bébé.
Si c'est pas déjà fait !

# MOUCHE-BÉBÉ

Le jeune père découvre, toujours émerveillé, les objets de torture, euh, non, pardon, de puériculture qui entourent sa femme et son enfant. Place maintenant au mouche-bébé. Le futur papa qui n'est pas encore dans la confidence découvrira bien vite qu'il s'agit là du moyen le plus efficace pour tomber malade le plus rapidement possible. Expliquons. Il s'agit d'aspirer le nez de son jeune enfant, incapable, jusqu'à ses trois ans, de se moucher seul. Certes. Le jeune papa, soucieux de vouloir s'investir rapidement, après ces neuf mois de léthargie, prend ce tube, ce réservoir et aspire de toutes ses forces. Amis de la poésie et de la délicatesse, attention. Des mucosités remontent de façon plus ou moins violente dans le réservoir. Parfois, un peu trop. Et, à raison de plusieurs aspirations quotidiennes, des microbes filent directement dans la bouche du jeune père. Voire plus, si affinités (mais ne gâchons pas le

«Le comble de la gourmandise...»

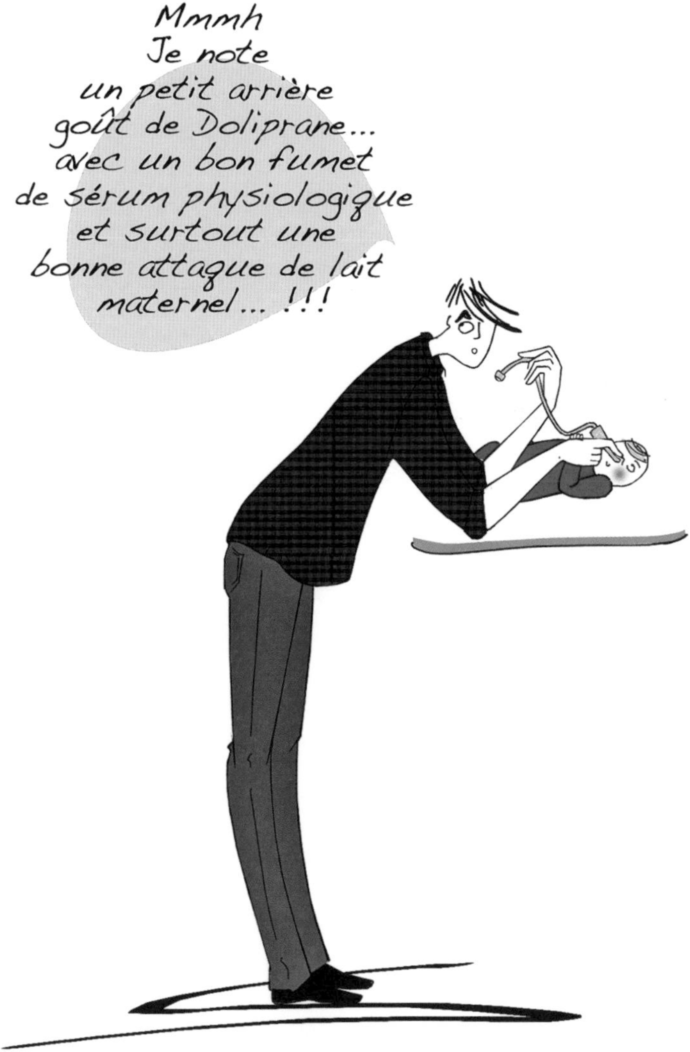

plaisir de la découverte à nos nouveaux amis). D'autres pères, certainement issus d'une ethnie barbare, ont même trouvé le courage, en temps de disette d'aspirateur à nez, d'y aller directement à la bouche, sans réservoir ni tuyau. La communauté des jeunes pères leur décerne le Mouche-Bébé d'Or. Dans tous les cas, bébé va mieux, et le papa, beaucoup moins bien. Les yeux rougissants, la voix rauque et les bronches encrassées, vive la paternité !

〰〰〰〰〰〰

## CONSEIL D'AMI

Qu'on se le dise, des mouche-bébés mécaniques, à poire ou électriques existent aussi. Mais bon, question crédibilité, le jeune père perdrait là sacrément en virilité...

Whaaaaaarrrr zaaaaa Cherche nounou...

# NOUNOU

En regardant *Desperate Housewives*, un jour, avec sa femme, affalés sur le canapé, en rediffusion sur M6, quand il a vu Lynette placer une caméra dans la boîte à bonbons pour espionner la nounou, le futur papa s'est juré de ne JAMAIS faire la même chose. C'était une époque où il n'avait pas encore d'enfant... Déjà, le jeune papa a dû accepter d'avoir une nounou pour son loupiot. Pas facile de confier la prunelle de ses yeux à une tierce personne souvent inconnue. Ensuite, il lui a fallu la chercher. Essayer d'en trouver une, par le biais d'amis d'amis d'amis, en demandant à droite, à gauche, et en découpant les petits numéros chez le boulanger ou le boucher. Puis mener des entretiens d'embauche, voir si elle regardait beaucoup la télé, faisait à manger plus ou moins sainement, ne fumait pas, etc. Un vrai casting, on se serait cru à *La Nouvelle Star*. Mais rien n'y faisait.

Il ne la trouvait pas. Et Junior qui n'allait pas tarder à pointer le bout de son nez. Très vite, ils sont arrivés au constat que la nounou de leurs rêves n'existait pas. Tout le monde n'est pas Mrs Doubtfire ! Jusqu'à ce qu'ils découvrent une charmante jeune femme, bien sous tous rapports. En fait, ils l'ont même débauchée. Elle était dans un bus, et ils ont vu sa façon de faire avec deux petits enfants charmants. Le futur père a poussé sa femme du coude, bien enceinte. Elle lui a dit : « Oh ! Arrête, on va pas recruter dans le bus non plus, t'es obsédé ! » Ni une ni deux, il l'a tout de même abordée : « Pas facile, deux enfants à gérer toute seule, hein ? – Oh, ça va, j'ai l'habitude, lui a-t-elle répondu. J'ai les trois miens à la maison. » Là, le cerveau du jeune père a fait des bulles. « Ma femme est enceinte et on cherche une nounou comme vous, tiens ! a-t-il embrayé. – Ça tombe bien, ces petits s'en vont à la crèche, je suis au chômage dans deux mois. » Son cerveau fusionnait littéralement. « Ça vous dirait de vous occuper de notre enfant ? – Pourquoi pas ? Je vous laisse mon numéro. On essaie, si ça vous plaît, on continue. » La nounou parfaite semblait tout à coup exister. Quelques semaines plus tard, Junior arrivé, ladite jeune femme faisait son entrée dans la vie de la famille. Rien ne clochait. Les amis s'en étonnaient. Et là, patatras, le jeune père s'est vu laisser allumée la webcam de l'ordinateur, avec vue plongeante sur le salon et la cuisine durant les heures de garde. À peine avait-il honte de cet espionnage intempestif. Pour son grand bonheur, rien de grave n'était à signaler. Tout ce qu'elle racontait était vrai. Le jeune père était, comment dire, presque... déçu !

# NUITS

Qu'on se le dise, le jeune père ne dort plus. Avec un plaisir sadique, ses potes le lui diront à répétition : « Les grasses mat', c'est fini, mon vieux. Tu peux faire une croix dessus. » Le pire, c'est que c'est vrai. Les premiers temps, à la maternité, ou au retour, à la maison, dans l'excitation de la découverte de son descendant, le jeune père se sent prêt à battre le record de Sandy Gartner, qui parvint à ne pas dormir plus de 247 heures d'affilée. Mieux, il se prend presque pour un dauphin, qui parvient à ne dormir que d'un seul hémisphère cérébral à la fois. Mais le jeune père ressent très vite ses propres limites, et il n'est qu'un homme. Passées les présentations avec son bambin, les premières nuits hachées menu par les biberons ou les tétées, il faut bien l'avouer, même pour l'insomniaque qui écrit ces lignes, le jeune papa rêve de passer une bonne nuit de sommeil sans être réveillé. Alors il faut trouver des subterfuges. Les boules Quiès marchent, mais la conscience morale du papa en prend un sacré coup. Que dira sa femme ? et

son enfant ? Des dauphins sourds, on n'a jamais vu ça. Robert Benchley à la question : « Lequel des parents doit se lever pour aller préparer le biberon du matin ? » répondit avec son légendaire cynisme : « Le moins doué pour faire semblant de dormir. » Des dauphins comédiens, c'est tellement plus crédible ! Et puis tout à coup, le jeune père trouve son rythme. Aussi étrange que cela puisse paraître, la première fois où son enfant dort plus de trois heures d'affilée sans le réveiller, il a peur. Se lève, scrute le dessus de son berceau. Son enfant dort. Du sommeil du juste. Le système des vases communicants, en somme.

〰〰〰〰〰

## CONSEIL D'AMI

On a dit que les allumettes servaient à maintenir
les yeux grands ouverts, c'est faux. Par contre,
la petite sieste entre midi et deux, dans la voiture
ou au bureau, est salvatrice.

# PAPAKOALA

Son enfant à peine venu au monde, le tout jeune papa est invité à prendre dans ses mains cette chose gluante qui lui sourit déjà et le regarde tout dégoulinant d'amour. « Regarde, chérie, il tient au creux de mes mains ! » Plus tard, le jeune papa admire le corps endormi de son bambin sur son avant-bras. Image maintes fois vue dans les livres d'Anne Geddes, mais qui fait toujours son effet dans les albums photo de Tatie Suzanne.

À la maternité, le papa tout neuf découvre un monde surnaturel : des pères torse nu, adeptes du « peau à peau », fortement préconisé dans les maternités pour créer le lien avec l'enfant. Surréaliste. Mais tout au bonheur de sa récente paternité, le jeune papa n'a d'yeux que pour sa merveille. Comme les autres pères autour de lui, affalés, les yeux dans les yeux avec leur bambin, il se déshabille. Terriblement surréaliste! Sorte de grossesse par procuration. Sentiment encore plus fort lorsque le jeune papa se met en tête d'utiliser le porte-bébé, accessoire très utile, semblable à un ventre de substitution. Une expérience que tout bon papa essaie au moins une fois. Dans la rue, il éprouve alors un sentiment de fierté.

# PAPI

Présenter son enfant à son propre père, pour un jeune papa, a une saveur particulière. Il a bizarrement l'impression d'être dans une pub pour Azzaro, celle qui vante les générations d'hommes. Au-delà du cliché, le nouveau papa éprouve le lien, le rapport, et parfois les gestes sont plus puissants que certains mots. « Tiens, tu le prends dans tes bras ? » Tendre son enfant, présenter son petit-fils ou sa petite-fille à son père : tout se tisse un peu plus à cet instant. C'est fort. Très fort. Il n'y a pas juste le plaisir de la transmission. Parfois, on pose la question au jeune papa : « Alors, ça te fait quoi d'être père ? » Drôle de question à laquelle il n'est pas facile de répondre. C'est un cheminement. On ne s'en rend pas compte de suite. On observe, on tâtonne. Mais au moment de transmettre son propre petit enfant à son propre père, le jeune père ressent quelque chose. Quoi ? Nul ne le sait. Le grand-père est sacré. Il y a une image de sage. Il n'a aucune obligation vis-à-vis de son petit enfant. Juste le plaisir de partager un moment avec lui. De lui montrer des choses. Là, on dirait une pub pour Herta ! Mais qu'à cela ne tienne. Les papis apprennent aux petits-enfants à clouer une planche, à peindre droit, à dessiner sans déborder ou à sauter au-dessus des flaques. Ou en plein dedans, en rigolant. À chercher des bigorneaux au bord de l'eau. Voire à nager ! Il y a une image rassurante, mais tellement vraie. Être grand-père, c'est quand même le super job ! Y a qu'à endosser ses habits de papi, et c'est parti. Le petit-fils ou la petite-fille vénèrent ce patriarche. « Papi m'a dit... Avec Papi on a fait... Papi, c'est le champion du bricolage... » La petite phrase qui fait du bien quand vous vous escrimez à clouer un cadre au mur. « Attends, je vais te montrer comment on fait. Papi, il m'a montré. »

# PÉDIATRE

Le jeune père découvre une autre frange du corps médical à peine a-t-il posé un petit orteil dans le secteur de la paternité : le pédiatre. Petit intermède culturel : née au XVIIᵉ siècle, avec Peter Chamberlen, l'inventeur des forceps, ce n'est qu'à partir du XIXᵉ siècle que la pédiatrie devient une science à part. On s'intéresse enfin aux enfants : Baudelocque (1745-1810) avec son *Art des accouchements*, ou encore Armand Trousseau (1801-1867), jusqu'à Françoise Dolto (1908-1988), qui plaça l'enfant à égalité avec l'adulte. Fin de la parenthèse culturelle. Le pédiatre est rare. Le pédiatre est partout. Étrange de voir la difficulté à prendre un rendez-vous avec un pédiatre. Parfois plusieurs semaines d'attente en province. Malgré cela, il suffit de prendre un journal dans la salle d'attente de n'importe quel corps médical et de les voir dans tous les journaux. Il y a le pédiatre très maternant, très à l'écoute de l'enfant. Très « Love is all ». Et il y a le pédiatre très rigide, qu'il ne faut pas chatouiller avec les principes d'éducation.

Très « À la guerre comme à la guerre ». Et il y a le pédiatre choisi par les nouveaux parents. Celui qui a réconforté et rassuré après la quatrième gastro, l'otite surinfectée ou les coliques à répétition. Celui qui regarde droit dans les yeux le jeune père, des poches et des cernes à n'en plus finir, et qui dit : « Ça va aller, ne vous inquiétez pas. » Tout à coup, le jeune père a envie de l'embrasser, de lui sauter au cou, de trinquer, de boire une bonne bière, que sais-je encore. Le pédiatre élu est l'allié de la famille. Le pédiatre est meilleur qu'un mentaliste : il lit et comprend le sabir de l'enfant du jeune père. Un dieu ! Il décrypte les codes secrets et autres borborygmes du chiourme. Mieux : il peut même le faire cesser de pleurer. Le pédiatre adopté est un héros. Définitivement, le meilleur allié du jeune père et de toute la famille. À chaque fois, il trouve des solutions. C'est un dieu, pour sûr. Mais bon, là, en l'occurrence, faut pas tarder, parce que c'est l'heure du bain.

‿‿‿‿‿‿

## CONSEIL D'AMI

Si vous faites le 15, en cas d'urgence, vous tombez aussi sur de très compétents médecins qui vous aiguilleront. Même à 3 heures du matin, après une série de cris incompréhensifs. Pas de quoi vous aider à vous rendormir, mais quand même.

# PLEURS

C'est humain. Le jeune papa, face aux cris de son nourrisson adoré, n'aura un jour qu'une envie : fuir ! Les premières semaines de vie commune sont sportives. Le bon petit diable ne fait pas ses nuits. Il faut attendre qu'il ait atteint à peu près le poids de cinq kilos pour espérer qu'il ne se réveille plus toutes les trois heures pour manger. Un autre rythme, en effet. Bien sûr, le jeune père a toujours des collègues de bureau ou des connaissances qui lui diront avec grand plaisir, la bouche en cœur : « Oh ! Je te souhaite bon courage, moi, le mien, il a pas fait ses nuits avant ses 2 ans ! » De quoi mettre du baume au cœur. Étrangement, le nouveau papa devient très résistant à la douleur. Autant des cris d'enfants dans les transports, le train ou un avion lui sont littéralement insupportables, autant quand le sien hurle, cela devient presque… agréable. Dans une

certaine limite, quand même. Puis, le jeune papa déborde d'imagination pour calmer bébé. Il peut, très simplement, partir faire un tour et le laisser à la maman. Très imaginatif, en effet ! Certains papas laissent crier aussi un peu, dans la pièce d'à côté (pas trois heures non plus !). D'autres optent pour les boules Quiès, mais bon, côté sécurité, c'est pas non plus la meilleure solution. Mais surtout, le jeune papa devient expert en analyse de pleurs et autres bruits bizarres de ce drôle d'animal. Le Nicolas Hulot des cris de faim, le Allain Bougrain Dubourg des maux de ventre, le Nicolas Le Jardinier d'une flore perturbée... Que de nouveaux territoires à explorer !

# POUSSETTE

Le jeune papa a nécessairement déjà poussé l'enfant de son meilleur ami. Mais voilà, maintenant, c'est son tour. Le papa-en-puissance aura le bonheur de pousser son propre enfant dans sa propre poussette. Mais pour bien choisir sa poussette au XXIᵉ siècle, le jeune père commence par jeter un coup d'œil sur Internet. Il tape « poussette » sur un moteur de recherche, et là, un déluge d'informations et de mots inconnus déferlent : « nacelle », « coque », « hamac », « chancelière ». Voilà l'occasion de questionner la collègue déjà maman et de s'attirer la sympathie de ses congénères. « Les premiers mois (jusqu'à 6/9 mois), tu auras juste besoin de la nacelle. C'est aussi ça qu'on appelle le landau. » Là, en collègue aimable, le jeune papa dodeline de la tête. Il a tout compris. Même s'il n'y comprend goutte. « Tu verras, c'est pratique pour laisser ton bout de chou roupiller n'importe où. De toute façon, tu sais, il dort

quasiment toute la journée, au début. Si tu veux, je te passerai la mienne. Elle est comme neuve. Pis tu me connais, tout doit être nickel... Après, faut que t'achètes la coque. C'est aussi comme ça qu'on appelle le cosy, ou le Maxy-Cosy. Mais je te passerai le mien si tu veux. Pis tu me connais... » Le futur papa se doit d'être compréhensif, même si, concrètement, pour l'instant toutes ces considérations le dépassent. « Après, la coque, tu la fixes sur l'embase, et ça te fait un siège-auto jusqu'à 9 kg environ. » Le futur papa, à cet instant, montre son air perplexe. « Hé, attends, c'est normal que tu sois un peu à la ramasse. Moi, j'ai bac + 12 en bébé, j'en ai eu cinq ! » Subitement, le jeune père en puissance ne regarde plus sa collègue de la même manière. Il imagine les cinq enfants acrobates sur la même poussette. « Et à la fin, t'as le hamac. C'est ce que toi t'appelles la poussette. Tu peux incliner le siège comme tu veux. » Cinq enfants, quand même. Chapeau ! se dit le futur papa. « Ce sera aussi ta poussette-canne, pliable en longueur et en largeur, plus légère, et surtout qui prend la forme d'une canne. C'est-pour-ça-qu'on-appelle-ça-

comme-ça ! Si tu veux, je te passerai aussi la chancelière. La chancelière, ça te dit ? Pis, tu me connais... Je
te conseille. C'est pour pas qu'il attrape froid. Tu l'em-
mitoufles là-dedans, emballé c'est pesé, et zou ! » Le
papa tout neuf ne peut qu'abdiquer devant tant de
connaissances si... poussées. « Tu verras, le premier,
c'est le plus dur. Plus t'en as, plus ça va. Et pis c'est
comme le vélo... » mais le futur papa n'a plus très envie
de s'y connaître en poussette. Encore moins en vélo.

〜〜〜〜〜

## CONSEIL D'AMI

Inspirez-vous des poussettes testées et approuvées par
les stars des magazines people, histoire de rester dans
la tendance. Avant, vous rêviez des « Aviator » de Brad P.
pour séduire votre dulcinée ; maintenant, optez pour la
MacLaren qu'il a choisie pour ses célèbres enfants.
Votre femme va adorer.

# PRATIQUE

À peine le test de grossesse validé, la première échographie réalisée, le jeune papa prend conscience de l'événement. Et regarde, tout à coup autour de lui, mille et une choses auxquelles il ne faisait absolument pas attention auparavant. Comme les vêtements ou les chaussures pour bébé. Son premier réflexe, souvent, est d'acheter une paire de Converse identique à la sienne en version miniature, ou les superbes baskets avec lesquelles il court lui-même. Mimétisme absolu ! Jusqu'à ce qu'il réalise, à la naissance, qu'un bébé ne met jamais de chaussures, sauf pour faire joli ou... surtout pour faire plaisir à papa. « Tu lui mets jamais les chaussures que je lui ai achetées ! – Mais, chéri, je veux bien, mais... ça sert à rien. Junior ne marche pas ! » Certes, certes, il faut bien reconnaître que cette information est recevable, voire valable... Dans tous les cas, le jeune papa, encore tout euphorique, achètera au début de la grossesse (et même après...) un peu de tout et surtout n'importe quoi. N'est-ce pas là qu'on reconnaît toutefois la sagesse du jeune papa ? Une façon d'extérioriser à sa manière l'arrivée de Junior. « Mais mon chéri, pourquoi tu as acheté ce body de Kermit la Grenouille en 18 mois ? – C'était en soldes. Et j'adore Kermit ! » La maman, un peu désabusée : « Mais, mais… c'est bizarre quand même. T'aurais pu acheter des bodys tout blancs. Ça aurait très bien fait l'affaire. Et surtout, c'est pratique. On n'a rien pour la naissance. Comment tu vas l'habiller, ton enfant ? » La jeune maman n'en veut pas vraiment au futur papa. Elle trouve même cela touchant. Voire une belle preuve de son implication dans la préparation de l'arrivée du bébé. Jusqu'à un certain point. Au bout de la quinzième peluche ou de la cinquième paire de baskets, attention, la patience de la future maman a des limites !

〰〰〰〰

## CONSEIL D'AMI

Faire du shopping pour Junior, certes,
mais avec la future maman.

# PREMIERS PAS

Le jeune père se rappelle avec émotion quand ses parents lui ont parlé des premiers pas de Neil Armstrong sur la Lune. Quand son grand-père (ou arrière-grand-père) lui racontait l'ascension de l'Everest par Irvine et Mallory. Mieux : la folle épopée de Clément Ader qui s'éleva pour la première fois dans les airs avec son espèce de chauve-souris au début du XX$^e$ siècle. Il en tremble encore, rien qu'à l'évocation de ces aventures surhumaines. Mais les premiers pas de son enfant, à côté, c'est la même chose en dix fois mieux ! Même petit côté désordonné – d'autres diront allure d'homme ou de femme bourrée –, Junior s'est élancé vers son père avec cette sensation d'avoir découvert un petit morceau de terre toute neuve, inconnue jusqu'alors. Le jeune papa, en transe, cache ses yeux embués de larmes. « Mais non, je pleure pas, c'est le vent. – On est dans la maison, chéri, y a PAS de vent. – Oui, bon, bah c'est un courant d'air, alors. » Le jeune père s'imagine partir gambader dans la forêt, faire des ronds dans l'eau, construire des radeaux, s'aventurer sur des fleuves sauvages et vivre comme un trappeur dans une hutte avec son enfant, tout en se nourrissant de poissons pêchés à la main. L'aventure, la vraie ! « Euh, chéri, tu fais gaffe, Junior rôde autour de la table basse. » Bon, OK, la grande aventure, c'est pas encore pour demain. Après-demain peut-être ?

〰〰〰〰〰

## CONSEIL D'AMI

Ça marche aussi avec les petites roues du vélo.
À vous les échappées du Tour de France,
du tour du monde à vélo...
ou dans la cour de l'immeuble.

# PRÉNOMS

Le jeune père doit se plier à l'incontournable cérémonial du choix du prénom... qui se révèle bien souvent être une source de disputes plutôt riches. La maman campe, son guide des prénoms de l'année en main, sur ses premières idées tendance. Le papa, lui, n'a d'yeux que pour les prénoms de ses aïeux (ou de ses ex aussi, mais ça, c'est une autre affaire). Reste qu'au final, c'est bien souvent le papa qui se rend à la mairie pour déclarer la naissance de l'enfant... Cette rebuffade de dernière minute pourrait sceller pour des années le mariage du jeune père avec sa dulcinée ! Le choix du prénom demeure toutefois un moment de joie commune qu'il ne faut pas louper. Le jeune père peut, au besoin, de façon très subliminale, laisser glisser ici et là le prénom de son choix, au cours de discussions entre amis, en famille, ou à d'autres moments de la vie du couple. Sa femme sera alors contrainte d'observer, en silence, le résultat sur leurs interlocuteurs, sans avoir le pouvoir de réagir, au risque de dévoiler le pot aux roses. « Ah ! Lucien ! J'adore ce prénom ! Prune, superbe prénom ! » Machiavélique, mais efficace... Car le propre du choix du prénom, c'est de le cacher

aux proches jusqu'au dernier moment. Sinon, ce n'est pas drôle. Si le jeune père venait à le communiquer, il devrait souffrir les commentaires de ses amis. « Zoé ! Ah, c'est le prénom de ma tortue ! Anatole ? C'était le prénom de mon grand-père, je pouvais pas le blairer ! Jennifer ? Ça fait pas un peu salope ? Rhô, j'ai une copine qui a appelé sa fille Cannelle. Pourquoi pas Muscade aussi ? ! ? Ah, vous avez choisi Cannelle... ah... Et sinon ? Vous avez choisi quoi d'autre ? » Autant de considérations qu'il vaut parfois mieux ne pas entendre avant d'avoir nommé son propre enfant.

〰〰〰〰〰

## CONSEIL D'AMI

Lu sur le site Internet www.service-public.fr :
« Limites du choix du prénom : si les prénoms choisis ou l'un d'eux peuvent nuire à l'intérêt de l'enfant (prénom ridicule par exemple), ou méconnaît le droit des tiers à voir protéger leur patronyme, l'officier d'état civil avertit le procureur de la République. Ce dernier peut saisir le juge aux affaires familiales qui peut demander la suppression du prénom sur les registres de l'état civil. En l'absence d'un nouveau choix de prénom par les parents conforme à l'intérêt de l'enfant, le juge attribue un autre prénom. » Bon, on aura compris, il vaut mieux ne pas trop plaisanter... Dans l'intérêt de l'enfant avant tout, bien sûr... ! Foi de Gavin's !

# RESSEMBLANCE

Le jeune papa, à la naissance de son enfant, a étrangement l'impression de retomber en enfance et de rejouer au jeu des sept erreurs, voire au jeu des sept familles. C'est fou comme l'entourage du jeune père peut trouver des filiations secrètes ou insoupçonnées avec l'arrivée d'un bébé. Tout commence par un « Oh ! ce qu'il te ressemble ! / Oh ! Comme il ressemble à sa maman ! » (barrer la mention inutile). Mais où diable Tata Suzanne trouve-t-elle ces risettes de tonton Gilbert dans le sourire béat de Junior ? Le petit nez de sa sœur Camille ? Ou les sourcils en pointe de la petite Élise ? Un mystère... Il faut aussi ajouter les considérations du reste de la famille, des cousins aux neveux en passant par les sœurs, mères, pères et autres « rajoutures » des familles recomposées (qui trouvent aussi, et très souvent, des ressemblances dans leurs propres familles, qui n'ont rien à voir avec celle du jeune papa...). À croire que tous les membres de la famille aient fait des études

Bah heureusement qu'elle ressemble pas à son père... Sinon elle débuterait sa vie avec un lourd handicap...

ahahaha... !!!

de profileurs gestuels ! Les commentaires des plus jeunes sont parfois les plus francs : « Il est moche, ton bébé ! » Et souvent, aussi, parmi les plus honnêtes… Il est vrai qu'un enfant, aux premières heures de sa vie, n'est pas des plus sexys. Encore tout fripé, sorti du ventre comprimé de sa maman… Son allure peut vraiment faire peur au jeune papa. « Oh, mon Dieu ! C'est à moi tout ça ? » Un réflexe pour le moins naturel. Mais au bout de quelques jours, il n'y paraît plus rien… Les joues potelées, les yeux brillants, les longs doigts, les petits cuissots… Le jeune père découvre mille et une bonnes raisons d'embrasser ce bon gros bébé, qu'il ressemble à papa ou à maman… Voire aux deux !

〰〰〰

## CONSEIL D'AMI

« Les personnes qui croiraient se reconnaître
me causeraient un grave préjudice et je n'hésiterai pas
à leur administrer, par voie de justice si besoin,
la preuve de leur inexistence. »
San-Antonio (*En long, en large et en travers*)

# SAGE-FEMME

Pendant toute sa grossesse, la future maman a suivi sa grossesse avec une sage-femme. Le jeune papa n'a pas assisté à leurs diverses réunions. Hélas pour lui... Il se trouvait en trop, pas vraiment à sa place. Et toujours aussi avec une bonne excuse... Le jour de l'accouchement, il débarque à la maternité, et la sage-femme de sa femme se présente : « Bonjour, je m'appelle Bruno, je suis la "sage-femme" de votre femme. » Bruno, la trentaine, un mélange de Jude Law et de James Franco. Il faut bien l'avouer, une telle entrée en matière peut surprendre le jeune papa, à peine arrivé. « Enfin, soyons précis : on dit "maïeuticien" pour les hommes qui pratiquent notre spécialité. » Ah. Ces détails grammaticaux ne rassurent pas plus le papa en devenir. Quoique. Les préjugés ont la vie dure. « Mais tu m'avais pas dit que... » Le jeune papa est interrompu par le retour de Bruno dans la salle de travail. L'image d'une sage-femme dévouée corps et âme aux côtés de son épouse lors de la naissance de son enfant n'est plus qu'un rêve !

En même temps, cela donne un peu de piquant. « N'ayez crainte, nous sommes des sages-femmes comme les autres. » Bruno part d'un grand éclat de rire. Le jeune papa ne doute pas un instant des capacités du maïeuticien, c'est juste que... C'est juste qu'il ne s'attendait pas à voir un homme conseiller sa femme en ce grand jour ! « N'ayez crainte, je dois tous les jours répondre à ce genre d'inquiétudes. Ce qui est légitime. Nous aussi, dans notre secteur, nous réclamons la parité hommes-femmes ! » ajoute Bruno en souriant un peu plus. C'est parti pour les examens d'usage, le bip-bip du monitoring, etc., etc. La future maman et Bruno semblent très complices. Le jeune papa dissèque chaque geste du maïeuticien. « Arrête de critiquer tout ce qu'il fait. C'est gênant, chéri. Tu vas pas me faire une scène de jalousie non plus. Tiens, passe-moi le brumisateur plutôt. » Aux petits soins avec sa femme, le futur papa ne compte plus les heures passées à attendre Junior qui tarde à pointer le bout de son nez. Le jeune papa s'assoupit. Tout à coup, le maïeuticien de sa femme – puisque c'est ainsi qu'on doit dire – s'approche du futur papa en douceur. « Je crois que c'est bon. Votre femme commence sérieusement à avoir des contractions de moins en moins espacées. Vous pouvez venir maintenant. » Bruno s'occupe de tout. Bruno est un ange. Tout se déroule à merveille. Le jeune papa contemple son petit garçon dans ses bras, Bruno demande le nom de l'enfant. La jeune mère regarde le papa frais émoulu et, d'un grand éclat de rire, dit « Bruno ». Le jeune père se décompose. C'était pas du tout ce qu'ils avaient choisi ! « Mais non, je rigole, chéri. C'était juste pour voir ta tête. Souris un peu ! C'est le plus beau jour de notre vie. Et merci, Bruno, vous avez été génial. Vive les sages-hommes ! Hein, chéri ? »

*Je suis les instructions de ma chérie...*

1 – Remplir le biberon d'eau minérale jusqu'à 180 ml... ✓ Facile
2 – Mettre 6 dosettes de lait... ✓ Facile
3 – Bien secouer... ✓ Facile

*NOTE pour demain :*
*Remettre la tétine et le bouchon*
*avant de secouer....!!!*

# SHAKER

Le jeune papa est plein d'idées reçues à propos des biberons. État des lieux : une tétine, le biberon, le cache-tétine et la bague de serrage. Et là commence l'expérience. Le jeune papa a légèrement l'impression d'avoir atterri dans un épisode de *C'est pas sorcier* ou d'*E = M6*. Mais il découvre déjà avec grande joie que la stérilisation des biberons n'est plus vraiment d'actualité. « Ah bon ? Je peux y aller comme ça ? J'ai juste à nettoyer avec du savon de Marseille ? Ah... C'est tout ? » Première idée reçue qui tombe à l'eau. Pour l'eau, les contrôles sanitaires de l'eau du robinet sont tels qu'il n'y a quasiment aucun problème pour l'utiliser à la source. Deuxième idée reçue évacuée. Le jeune papa trouve le réflexe très naturel de secouer le biberon sans jamais laisser de grumeaux. D'où tient-il ce sens inné et immédiat de la préparation des biberons ? Eh bien, le succès de cette méthode provient sans doute de ses longues soirées étudiantes, où il s'exerçait derrière le comptoir du bar. « Un petit cocktail ? Un sex on the beach ? Tout de suite, je vous prépare ça. » Et hop ! Emballé, c'est pesé. Bébé aura son biberon secoué et crémeux à souhait. Chose très heureuse : si les cocktails méritaient d'être bus immédiatement, les biberons, une fois faits, peuvent être conservés une dizaine d'heures au frigo sans problème et « servis » à bébé dans les trois heures une fois sortis. « Comme quoi, tu vois, chérie, j'ai bien fait de faire mon apprentissage en boîte ! »

~~~~~~~

## CONSEIL D'AMI

Rebuvez des cocktails après la naissance de votre enfant, ça peut toujours servir. Avec modération : faut quand même préparer le biberon après.

# SOPHIE LA GIRAFE

La table à langer de l'enfant du nouveau père prend vite des allures de Thoiry un dimanche après-midi avec Sophie la Girafe qui reste « ze » cadeau référence, sauvant les copains, au dernier moment, quand ils ne savent pas quoi offrir à la naissance d'un enfant. « Un pyjama, OK, mais ils en auront plein ; allez, on lui prend Sophie la Girafe. » Près de 860 000 naissances en France en 2010 et 813 000 Sophie la Girafe fabriquées la même année. Il s'agit de retenir (surtout) que... 37 000 enfants en France ont échappé à ce cadeau ! Les veinards. Étrangement, le nouveau père oublie facilement cette ancienne amie d'enfance. Et dès la naissance de sa progéniture, pan ! Voilà que Sophie la Girafe revient dans sa vie. À quoi cela tient ? Sa bouille ? Elle a une bonne bouille, certes, avec un petit sourire en coin. Mais bon. Ça ne fait pas tout. Pourquoi offre-t-on

encore autant Sophie la Girafe ? Son côté artisanal ?
Sans doute. Chaque tache sur son pelage est peinte à la
main. En ces temps de « do it yourself », ça doit plaire.
Elle est rétro à souhait. Mais attention, si le nouveau
père ne prévient pas sa progéniture qu'il s'agit d'un
jouet qu'il avait lui-même étant enfant, elle peut déjà le
prendre pour un ringard au saut du berceau. Une chose
est sûre : ce n'est pas pour son cri suraigu qu'elle attire
autant. Souvent, la première fois, l'enfant prend peur.
En la pressant sous ses yeux, il peut même vous maudire
sur quatre générations en hurlant tout ce qu'il peut.

Reste l'image attachante de ce bel animal, et son long
cou tendu vers le ciel, sans oublier cet air un peu gauche
(niais), qui termine de faire fondre de plaisir. C'est justement son grand cou qui impressionne et fascine les
petits. La girafe serait aussi l'animal doté du plus gros
des cœurs, pour irriguer sa tête en sang. Les gourous de

la communication non violente l'ont même prise pour icône. Devenez une girafe ! Ayez du cœur ! C'est le message subliminal qu'il faut peut-être entendre à travers cet étrange cadeau. Qu'on se rassure, le dernier enfant vu avec Sophie la Girafe lui tordait justement le cou et lui mordait la tête. La vérité sort toujours de la bouche des enfants, non ?

〰〰〰〰〰

## CONSEIL D'AMI

Si vous avez trop de Sophie la Girafe en stock,
l'idéal est d'en semer un peu partout.
Sûr qu'un enfant
(ou un adulte en mal de tendresse)
en fera le meilleur usage.

# SORTIE

Trois semaines que le jeune père est enfermé à enchaîner biberons, couches, bain, biberons, couches, bain
(sans dormir, vous l'aurez remarqué). Là, c'est bon,
c'est décidé, il va enfin s'accorder un peu de temps libre.
Truc complètement fou, leurs copains Adelaïde et Marc
proposent au jeune père et à la jeune maman d'aller
boire un verre et d'enchaîner sur un resto. Ça ne leur est
pas arrivé depuis combien de temps ? Le jeune papa
compte sur ses doigts. Pas en jours, ni en semaines,
mais en mois ! Ça y est, tout est prêt, le jeune père et sa
chérie sont excités. Le biberon, le tapis de change
jetable trouvé sur le Net (une mine d'or), la couverture,
tout est nickel. Allez, tout le monde en voiture ! Les voilà
partis. Ça a l'air d'aller. Junior paraît tout content dans
sa coque de transport. Faut en profiter. Tout petits, les
nourrissons sont loin d'être une contrainte en balade,
au resto, chez les copains. Ils dorment partout sans se
poser de questions. Allez, hop ! hop ! Le jeune père se
gare, il a trouvé une place du premier coup. C'est parfait. Petit verre en terrasse. Junior fait risette. Le jeune
papa est super fier de son enfant. Sa progéniture. Allez,
un autre petit verre. Faut pas abuser, mais l'ambiance

est bonne. Le papa débutant a soudainement l'impression de revivre. Il fait chaud. Il fait très chaud même. Est-ce bien normal ? Là, à cet instant, une petite odeur pas bien fraîche, mais hélas désormais très connue du jeune père, commence à remonter jusqu'à ses narines. Junior n'aurait pas fait ça ? Pas là, comme ça, en public ? Et pourtant… si. Junior regarde son père adoré, l'air ravi. L'odeur envahit l'espace. Le papa apprenti soulève Junior et montre à quel point son odorat a été entraîné en quelques mois à détecter les déjections de son enfant. Là, c'est évident, aucun doute à avoir. Il faut vite intervenir. Donc, le jeune père, tel un agent du GIGN en mission, se carapate vers les toilettes du bistrot, opère mille et une contractions pour changer son cher marmot. Et là, quelle n'est pas sa surprise, ni couche ni change, rien dans le petit sac normalement préparé à cet effet, et Junior qui observe son père les fesses à l'air. Sans se décontenancer, rageant quelque peu, le jeune père revient à table, Junior nu sous son pull et sa salopette. Et le jeune père de s'excuser auprès de ses amis. Le resto, ce sera pour la prochaine fois.

〰〰〰〰

## CONSEIL D'AMI

Conservez toujours un change complet, voire deux, et plein de couches dans le petit sac de voyage. Toujours. Sauf si vous aimez les soirées écourtées.

# SURNOMS

*Avant la naissance*

Bien sûr, jamais le futur papa ne donnera de surnoms à son enfant. Il l'appellera par son prénom, comme il se doit. Un point, c'est tout. Il trouve naturellement débiles tous ces gens qui affublent leur descendance de « mon chaton », « mon chouchoubichou », « mon loulou », « mon gnome ». Ridicule, n'est-ce pas ?

*Après la naissance*

Mon petit bichon adoré, mon chouchoubichounou. Mon amour, mon ange, mon chérubin, ma crevette, mon ouassou à moi, mon chaton des îles (?????), mon babouin chéri, ma minouchette, mon petit Jésus, ma perle, mon coco, mon trousse-pet, mon petit gars, ma fanfan, mon drolissou, mon niard, ma môme, mon sautereau, mon moutard, ma brunette, mon pitchounet rien qu'à moi, mon marmouset, ma puce, ma louloute, ma choubichoubi, mon petit, mon petit merdeux, ma miochette, mon petit nain, ma totoche, ma chérie, mon cœur, mon bébé d'amour, ma nénette, mes gones, mon infantelet, mon enfantelet, ma drôle, mon lutin, ma blondinette, mon morveux, ma zoli, ma fleur, mon garçon, mon gros poupon, mon oiseau des îles, mes crapaux, mon p'tit loup, ma moufflette, mes petits morpions, mon moufflet, mon pitchoun, mon braillard, ma petite chieuse, mon chiard, ma caille, le fiston de son papa, ma fillotte préférée, mon fiston à la crème, mon gros lardon... La liste n'est pas exhaustive. Le jeune père, bizarrement, a changé d'avis.

〜〜〜〜〜〜〜

## CONSEIL D'AMI

Avec un enfant, le ridicule ne tue pas, ouf ! Tant mieux
(on en compterait des morts, sinon...) !
On l'apprend un peu plus chaque jour !

T

U

V

# TÉLÉVISION

Les nouveaux pères sont, dès la naissance, confrontés aux pères modèles. La télévision a tout simplement été bannie de leur univers. Il n'est absolument pas concevable pour eux que leurs enfants ne soient, ne serait-ce qu'un seul instant, devant un écran – que ce soit de télévision, d'ordinateur ou même de téléphone. « D'ailleurs, le mien ne peut pas regarder la télévision, nous n'en avons pas ! » Il n'est pas rare non plus d'entendre chez ces mêmes personnes de petits airs d'opéra ou des trilles de musique classique voluptueuse. « Tu connais "l'effet Mozart" ? » Les pères modèles sont incollables sur les dernières études au sujet du développement psychique des enfants. « Une expérience aux États-Unis a souligné l'influence de la musique de Mozart sur le développement des enfants. C'est énorme ! » Ils omettent souvent d'ajouter que, quelques années plus tard, une nouvelle expérience a démontré

«La télévision... C'est pas bien...»

que les enfants, fans de Mozart ou de n'importe quelle autre musique, étaient stimulés à l'identique et pouvaient réagir exactement de la même manière à des tests de quotient intellectuel... Tout à coup, le jeune père se sent un peu fautif. Un peu seulement. Il n'écoute pas Radio Classique avec son enfant. *Vade retro Satanas*, ô toi, père indigne qui ose laisser déambuler ton chiourme au petit matin devant *Debout les zouzous !* Que le jeune père se rassure. Il n'est pas un père indigne pour autant. D'ailleurs, ces mêmes enfants privés d'écran sont scotchés à la DS de leur cousin décadent dès les vacances de la Toussaint arrivées et découvrent avec gourmandise les épisodes de *Foot2Rue* dès qu'ils le peuvent chez des copains ! « Par Satan, éloignez-moi tous ces écrans de mes enfants ! » semblent murmurer les papas récalcitrants. Que le jeune père n'ait crainte, son enfant ne sera pas pour autant un chenapan.

# TEST DE GROSSESSE

Avant que la magie n'opère et qu'un petit œuf fermenté ne fasse son apparition au creux du ventre de sa femme, un certain laps de temps permet au futur papa, au choix, de fantasmer, ruminer, broyer du noir, réfléchir, fuir, rêver, bricoler, manger, boire, se saouler. Quand un matin (bizarrement, c'est souvent le matin que ça arrive ces choses-là), sa dulcinée l'invite à croire qu'il y a quelque chose de bizarre. « Ah ? Bah quoi ? – Bah devine ! – Ah ! Mais alors, comment on sait si… euh… en cas de… que tu es… – Les tests de grossesse, c'est fait pour les chiens ? – Ah ! oui, bien, bah alors on n'a qu'à en acheter un. – Très bien, mon chéri, à toi de jouer. »
Le cœur du futur papa bat la chamade. Il n'en peut plus d'attendre, saute dans son jean, part le cheveu hirsute, la chemise à peine boutonnée, et là, se rend compte qu'il est 6 h 24 du matin. La pharmacie n'est pas ouverte. Il rentre chez lui. Prend une petite douche. Sa femme le raisonne.

«T'inquiète, chéri, si je suis enceinte, je suis enceinte, ça s'arrêtera pas comme ça d'un claquement de doigts. Au contraire. Ce n'est que le début. Alors prends ton temps. Profite. Viens, je t'ai préparé un petit déjeuner. On ira acheter le test juste après.» Le jeune papa décide alors de prendre son temps, de profiter de ses derniers instants d'homme sans enfant, sirote tranquillou son café, beurre bien ses tartines et boit son jus d'orange jusqu'à la dernière goutte en faisant du bruit en raclant le fond. Ça y est, c'est bon, il est prêt.

Il refait le même chemin. Repart vers la pharmacie. Beaucoup plus serein tout à coup. Il est 10 h 46 et il s'entend dire avec stupéfaction : « Bonjour, est-ce que je pourrais acheter un test de grossesse ? » Phrase surréaliste dans sa bouche. Il ajoute cette phrase tout aussi surréaliste : « Un qui marche, hein ? » La pharmacienne, en un clin d'œil, se retourne, attrape une boîte juste derrière elle (à croire qu'elle ne vend que ça toute la journée) et lui tend ce long tube blanc. « Qu'est-ce que vous croyez, tous mes tests marchent, vous verrez ! » Elle rigole. « C'est très simple. Il faut juste uriner sur la bandelette, attendre 5 minutes. Si c'est bleu, c'est bon, si y a rien, faudra retenter votre chance. Mais si c'est bleu, faut venir le valider et me le dire après. »

Elle le fixe du regard, puis éclate de rire : « Mais, non, je plaisante. Allez, courez, vous en mourez d'envie. »

De retour à la maison. Il attend. Il est dans les toilettes avec sa femme. Y a plus de pudeur en cet instant solennel. Ils attendent tous les deux, les yeux rivés sur la petite bandelette. « Je rêve ou quoi ? Regarde, elle vire au bleu ! C'est bon, mon chéri, tu vas être papa !!! T'es content ? Bon, maintenant, tu peux sortir, c'est un peu gênant, là, tous les deux dans les toilettes. »

Le jeune papa se retrouve avec un test de grossesse bleu entre les doigts. Un peu sonné, un peu estomaqué. Et complètement bluffé. C'était donc ça.

〰〰〰

## CONSEIL D'AMI

Passez quand même voir la pharmacienne, histoire
de la remercier et de l'embrasser sur le bout du nez.
Elle deviendra votre meilleure amie dans les mois à venir :
sérum physiologique, mouche-bébé, liniment, compresses
stériles non tissées … Et vous, son meilleur client !

# WEEK-END

C'est décidé, ce week-end, le jeune papa part un peu avec sa dulcinée, il veut souffler. Il a réservé une petite chambre d'hôtes toute mignonne à l'orée d'une forêt. Ça va être bien. Ça va surtout lui permettre de se détendre avec sa chérie et Junior. On lui a répété trente fois (si c'est pas plus) : « Les voyages, avec un enfant, tu verras, c'est plus possible. » Il n'a qu'une envie, c'est de faire taire les mauvaises langues. Pourquoi ce ne serait plus possible ? Pas compliqué, suffit d'être organisé. Avec la jeune maman, il a prévu tout ce qu'il faut pour les repas. Il a pris soin de demander s'il y avait un lit-bébé dans la chambre d'hôtes. Ouf, super, ils ont tout ce qu'il faut. Et en plus, ils ont une chaise haute (on se contente de peu...). Le jeune père est rassuré, les proprios sont « bébé friendly ». Pas gagné. L'autre jour, au resto, le serveur les a remisés près de la porte d'entrée dans un courant d'air, le jeune père a demandé à changer, le ser-veur les a regardés avec l'enfant dans sa poussette : « Ce sera pas possible avec ça ! » a-t-il dit, désignant soit l'enfant, soit la poussette. Le jeune papa, sur le moment, n'a pas vraiment cherché à creuser la question séman-tique. En tout cas, là, c'est sûr, ce petit week-end au vert leur fera le plus grand bien. Tout est prêt pour changer Junior. « Ça fait pas un peu trop 10 bodys pour 2 jours ma chérie ? » La jeune maman est prévoyante. Mais le papa tout neuf n'a presque plus de place dans le coffre de sa vieille 205, achetée avec ses premiers salaires de jobs d'étudiant. « Tiens, faudra qu'on pense à racheter une voiture aussi », pense-t-il alors. Belle-maman n'arrête pas de lui dire que « c'est pas sérieux, avec un bébé. Vous n'êtes plus étudiants ! » Oui, bon, d'accord. En attendant, là, il n'a qu'une envie : partir. Le sérum phy' ? OK. Le mouche-bébé ? OK. Le paracétamol, au cas où ? OK aussi. Les doses de lait ? Bon. Les bibe-rons ? Le doudou ? « C'est bon, chérie, je te l'ai dit, c'est tout bon. On y va, là, sinon, la résa elle va sauter. » Junior tousse. Crachote. Un peu, pas grand-chose. « Tu crois que c'est raisonnable de partir comme ça ? » La jeune mère doute. Junior expectore. Crache ses poumons. La jeune mère voit rouge. Elle saisit son cale-pin, embrasse le jeune papa au coin des lèvres. « C'est super, tout ce que tu fais pour nous, mon chéri, mais là, faut que j'emmène Junior chez le pédiatre. »

〰〰〰〰

## CONSEIL D'AMI

« Les voyages, avec un enfant, tu verras,
c'est plus possible. »

# ZZZZZZZZZZ...

Instant précieux. Délicieux. Le jeune père attend ce moment depuis quelque temps maintenant. La première nuit de son enfant. Non, Junior ne se réveille pas. Le jeune père redécouvre des bruits oubliés. Sa femme, qui lui dit « Dors ! » en l'enlaçant délicieusement, la voisine d'à côté dont il avait oublié le pas saccadé sur le plancher. Et les doux borborygmes de son Pygmée préféré. Voilà, Junior est dans les bras de Morphée, et le jeune père attend maintenant son tour. Mais ça ne vient pas. Décidément. Il repense à ses premiers jours, à ses premières semaines de père. Tout le chemin accompli. ZZZzzz... L'accouchement... les premières tétées... le retour à la maison... les premiers sourires... ZZZzzzZZZzzz... les paquets de 96, 126, 43 couches (pourquoi donc ces chiffres toujours aussi improbables ? pense-t-il alors dans un dernier éclair de lucidité... ZZZzzzZZZzzzZZZzzz... le regard enamouré de sa femme, quand il tient... Junior... dans ses bras... c'est bon... c'est bien... La vie est belle... ZZZzzzZZZzzzZZZzzz...

# REMERCIEMENTS

Un énorme merci naturellement à Aurélie, pour cette belle aventure bien rythmée. À toutes ces personnes croisées ici ou là sur le chemin de la paternité. Aux copains et autres copains de copains qui m'ont inspiré différentes scènes de cet abécédaire. Aux grands-parents Martine, Annie, José et Jean, et à tout le reste de la famille, pour votre présence à nos côtés. Sans oublier les discussions à bâtons rompus avec Lina, « sœur » de paternité, l'équipe de la maternité des Bluets à Paris et notre chère pédiatre, toujours aussi disponible (même pour les angoisses existentielles du samedi matin !). Un grand merci à Philippe Gloaguen pour sa compréhension et ses attentions à l'égard de ce nouveau petit « moutard », et à toutes mes collègues « routardes », sources de conseils avisés depuis de nombreuses années désormais sur le sujet. Merci, oui, merci ! Juliette, merci de tes remarques judicieuses sur ce projet, et Fabienne, pour votre confiance. *Last but not least*, à toi, mon cher Raphaël : quelle belle histoire à raconter tous les trois...

Direction générale : Fabienne Kriegel
Responsable éditoriale : Juliette de Lavaur
Suivi d'édition : Françoise Mathay
assistée de Marion Dellapina
Directrice artistique : Sabine Houplain
Conception graphique : Iris Glon
Réalisation graphique : Le Bureau Des Affaires Graphiques
Relecture-correction : Karine Elsener
Fabrication : Marion Lance
Partenariat et ventes directes : Claire Le Cocguen
clecocguen@hachette-livre.fr

www.editionsduchene.fr
© Hachette Livre, Éditions du Chêne, 2012.

Édité par les éditions du Chêne
(43 quai de Grenelle, 75905 Paris Cedex 15)
Imprimé par Estella Gráficas
(Ctra Estella Tafalla KM2, 31200 Estella Navarra, Espagne)
Achevé d'imprimer en avril 2012
Dépôt légal : mai 2012
ISBN 978-2-81230-572-6
34/8464/9-01